Y BWRDD

Y BWRDD

IWAN RHYS

Diolch i Manon, fy rhieni a 'nheulu am fod mor hael â'u hamser a'u cefnogaeth. Diolch i Marged Tudur, Alun Jones, Huw Meirion, Rhys Iorwerth, Nigel Farage, beirniaid cystadleuaeth y Fedal Ryddiaith a staff y Lolfa.

Argraffiad cyntaf: 2019

Cynllun y clawr: Manon Awst

Rhif Llyfr Rhyngwladol: 978 1 78461 796 7

Dymuna'r cyhoeddwyr gydnabod cymorth ariannol
Cyngor Llyfrau Cymru

Cyhoeddwyd ac argraffwyd yng Nghymru
ar bapur o goedwigoedd cynaliadwy gan
Y Lolfa Cyf., Talybont, Ceredigion SY24 5HE
e-bost ylolfa@ylolfa.com
gwefan www.ylolfa.com
ffôn 01970 832 304
ffacs 01970 832 782

Pennod 1

ROEDD HI'N CHWARTER i ddeuddeg, ac yntau wedi ffobio i mewn ers dwy awr a hanner. Y peth cyntaf a wnaeth ar ôl cyrraedd oedd mynd ati i wneud ei ail baned o de am y dydd. Roedd yn mwynhau gwneud paneidiau yn y gwaith, am fod naw ohonyn nhw'n gweithio yn yr un ystafell ar Lawr 2 Dwyrain, a byddai disgwyl iddo gynnig paneidiau i bawb. Fel arfer, byddai o leiaf pump yn derbyn a phob un â'i ddewisiadau penodol o ran te, coffi, cryf, gwan, llaeth, llefrith, siwgr, melysydd. A phob un â'i hoff gwpan. Rhwng casglu'r archeb (nad oedd, yn rhyfedd ddigon, yn ei chofio o'r naill fore i'r llall), hwylio'r paneidiau, berwi rhagor o ddŵr gan nad oedd wedi berwi digon y tro cyntaf, a dosbarthu'r arlwy'n ofalus, cymerai'r orchwyl ryw chwarter awr dda.

Ar ôl mewngofnodi, ac wrth yfed ei de (cryf, llaeth, dim siwgr; y cwpan coch, yr un mwyaf yn y cwpwrdd), bwriodd drwy ei e-byst newydd. Un generig gan Iestyn Adnoddau Dynol yn atgoffa pawb bod angen diweddaru'u cymwyseddau yn eu cofnod o ddatblygiad proffesiynol. Yr ail gan Emma Landskew o Brifysgol y Glannau yn dweud nad yw'r drafft diweddaraf o'r Cynllun Iaith yn barod, ac na fyddai'n barod am gryn dipyn eto gan fod rhywun neu'i gilydd ar gyfnod mamolaeth. Y trydydd gan Elin TG yn sôn am gasgliad i Gareth TG sy'n gadael ei swydd i fynd i deithio yn Ne America (y diawl lwcus). A'r pedwerydd gan Gwen Anderson a oedd, ymysg portffolio eang, yn gyfrifol am gynllun iaith Gymraeg Coleg y Ddinas. Penderfynu anwybyddu hwnnw a wnaeth, gan ei fod yn rhagweld trwbl, a'i nodi fel 'e-bost heb ei ddarllen'.

Wedi hynny, aeth i'r tŷ bach. Roedd wrth ei fodd yn mynd i'r tŷ bach yn y gwaith, a chymryd ei amser yno hefyd. Cyfrifodd un tro, drwy gymryd ugain munud ar sedd y tŷ bach, ei fod yn cael ei dalu £5.87 am y pleser. A hynny heb gynnwys 70c o dâl gwyliau, a 47c o bensiwn. Eisteddai yno'n foreol yn mwynhau'r syniad ei fod yn talu ymlaen llaw am ei gappuccino hamddenol ar yr Amalfi ymhen degawdau wrth iddo sychu'i din dros y Gymraeg.

Yn ôl wrth ei ddesg wedyn, bu'n clebran yn braf gyda'i gyd-weithwyr am garfan Cymru yng ngemau rhyngwladol yr hydref, pencadlys S4C, enwau babis, modd gorchmynnol y ferf 'bod' a lliw paent. Roedd yn hoff iawn o'i gyd-weithwyr ar Lawr 2 Dwyrain. Roedd yn fantais bod aelodau o sawl tîm gwahanol yn yr un ystafell, fel na fyddai'r sgyrsiau fel arfer yn ymwneud â'u gwaith. Heblaw amdanyn nhw, ni wyddai sut yr ymdopai yno. Go iawn.

Ar ôl cryn amser, wedi i ddau, tri, pedwar o'r rhai mwyaf cydwybodol droi'u sylw'n ôl at eu gwaith gan beri i'r gweddill ddechrau teimlo'n rhy chwithig i barhau â'u sgwrs am y drefn orau i ffrio'r cynhwysion wrth wneud cyrri, trodd Carwyn yn ôl at ei gyfrifiadur ac agor dogfen. Cymerodd gip sydyn ar lun Laticia ac Alaw Abril ar y ddesg, a llenwyd ei ffroenau â gwynt melys blodau oren Valencia. Ymlaen â'r gwaith.

43 munud wedyn, ac yntau wedi darllen yn go fanwl drwy hanner cyntaf y cynllun drafft, a gwneud rhuban melyn o sylwadau ar hyd yr ochr, dyma'i law dde, ohoni ei hun, yn ymestyn am ei ffôn. A'i lygaid yn dal i symud ar hyd brawddegau'r ddogfen, bwriodd y bawd a'r mynegfys y cyfrinrif i'r sgrin fach ac, yn fanwl-robotig, estynnodd gymalau ei fys canol fel craen bychan wedi'i raglennu'n union i gyrraedd eicon Twitter, a phwysodd arno. Gwnaed y cyfan mewn llai na thair eiliad, ac yn gwbl ddiarwybod i berchennog y bysedd.

Ni allai fod yn gwbl siŵr faint o amser a dreuliodd yn troelli olwyn ddiddiwedd yr ap. Ni allai fod wedi darllen braidd dim, go iawn, am mai am eiliad ar y mwyaf y byddai'r olwyn drydariadau yn llonydd cyn iddo ei throelli eto. A gwyddai'n reddfol-sefydliadol i beidio ag aildrydar na hoffi dim, heb sôn am gyfansoddi trydariad newydd, yn ystod oriau gwaith. Ond erbyn iddo sylwi ei fod ar Twitter, a chodi'i ben, gwelodd fod James wedi cyrraedd ei ddesg yntau ym mhen draw'r ystafell, a bod Anna wedi gadael ei desg hithau drws nesaf iddo. Pryd digwyddodd hynny?

Oedd, roedd hi bellach yn chwarter i ddeuddeg. Yn ôl y rheolau, roedd ganddo berffaith hawl ffobio allan a mynd am ei ginio chwarter awr yn ôl. Ond roedd am fod yn llym arno ef ei hun heddiw. Ni châi fynd am ei beint beuginiol tan iddo hawlio ei dreuliau am y mis. Bu'n osgoi'r dasg hon ers dros wythnos. Roedd y broses yn codi gwrychyn Carwyn. Er ei fod yn eithaf hoff o'r ffaith ei bod yn ffordd hawdd a difeddwl o dreulio deng munud arall yn y gwaith, teimlai'r ffaith fod y broses yn un mor hynafol yn wirion a gwastraffus. Yn ôl canllawiau'r Adran Gyllid, byddai'n rhaid cymryd dalen A4 blaen, prit-sticio pob derbynneb a thocyn arni'n ofalus gan gofio gadael bylchau digonol rhyngddynt, cyn sganio'r ddalen a'i hanfon mewn e-bost at gyfrif penodol, ynghyd â ffurflen arall yn nodi'r manylion. Tan iddo gychwyn yn y swydd hon, mae'n siŵr nad oedd Carwyn wedi gweld prit-stic ers degawd, heb sôn am ddefnyddio un. Rhyw brynhawn diflas, cyfrifodd Carwyn fod pwrs y wlad yn talu £5,383 y flwyddyn o gyflog i staff Bwrdd Comisiynu'r Gymraeg brit-sticio derbynebau Wetherspoons a Texaco.

Am ddwy funud i hanner dydd, a'r prit-stic yn dal heb sychu, cydiodd yn ei ffôn, ei waled, a'i ffob, ac i ffwrdd ag ef i'r Craddock.

* * * *

O leiaf llwyddodd i'w gymell ei hun, rywfodd, i wneud prynhawn deche o waith. Haeddai beint, felly ar y ffordd adref o'r gwaith y noson honno ac fel y gwnâi dair neu bedair noson yr wythnos, stopiodd am un cyflym yn y Victoria Vaults, i feddwl ac ymchwilio ar ei ffôn. Nid Ken oedd y tu ôl i'r bar heno, felly cafodd dawelwch i ddwysystyried. Ond ymhen dwy funud, wrth i ddwy lythyren wen yr SA ddiflannu yn yr ewyn, roedd y penderfyniad wedi'i wneud. Tarka dhal a kurkuri bhindi. Cododd y gwydryn i'w geg, a chwyrlïodd gweddill y chwerw i lawr ei lwnc yn yr un amser ag a gymerodd i roi'i ffôn yn ei boced.

Taflodd ei got amdano'n reddfol wrth gamu o'r Vaults a sylwi bod mwy o ddail dan draed na phan gerddodd tua'r gwaith toc wedi naw y bore hwnnw. Wrth groesi afon Taf, taerai fod y dŵr yn agosach at ei draed a bod sŵn yr afon i'w glywed dros beiriannau disel y bysus a thecno radios y tacsis. Trodd i lawr Clare Road tuag at y siop fwyd gyntaf ar y chwith, Pashal's. Hon yw ei ffefryn o blith y siopau bach Asiaidd yn Grangetown. Mae'n syndod o fawr am siop fach, gan fod y perchennog, yn raddol dros bymtheng mlynedd, wedi ehangu drwy brynu'r tŷ drws nesa ar y chwith, ac wedyn yr hen gaffi rhyngrwyd drws nesa ar y dde.

Arafodd wrth agosáu at y siop a chaeodd ei lygaid. A phum cam i fynd cyn cyrraedd y drws, clywai'r gwynt cyntaf – y winwns a'r garlleg ffres. Dau gam wedyn, clywai'r coriander a'r cardamom yn ymuno a chyfuno. Ac wrth gyrraedd y drws agored, arhosodd yn stond wrth glywed y cwmin yn galw'i enw.

'Come in, Carwyn!' galwodd Arham o'r tu ôl i'r cownter. 'What are you cooking tonight?'

Agorodd Carwyn ei lygaid, a gwenu'n braf ar berchennog y siop.

'Tarka dhal and bhindi. Kurkuri bhindi.'

'Bendigedig!' meddai Arham yn ddifrifol gan ledu'i ffroenau wrth ddychmygu'r pryd. Taenodd ei lais trwchus, gheeaidd dros y cownter ac i lawr rhwng y rhesi. 'Wonderful, deep dhal now the weather has turned. Plenty of turmeric, remember.' Fflachiodd ei lygaid yn sydyn. Cododd ei fysedd at ei geg fel petai ar fin cymryd darn o'r llysieuyn gwyrdd, crensiog i'w geg. A chododd traw ei lais yn wich. 'And the bhindi, so crispy!'

Ymlwybrodd Carwyn i lawr rhes y llysiau ffres. Gwyddai'n union ble'r oedd yr ocra. Estynnodd ei law atynt, a llithrodd ei fysedd dros ambell un yn araf. Teimlai'r blew mân, mân. Gwasgodd un yn dyner. Diwrnod neu ddau arall ac fe fydden nhw'n rhy aeddfed. Perffaith felly. Llenwodd sach bapur. Cododd lond sgŵp o tshilis gwyrdd ffres i ail sach. A sgŵp o ddail cyrri i un arall. Gwyddai iddo ddefnyddio'r rhai olaf dridiau'n ôl. Roedd yn go siŵr bod ganddo bopeth arall gartref. Aeth at y cownter i dalu, holi am iechyd Thawab a chwrs Zehna yng Nghaergrawnt, a ffarwelio. Profiad cynnes a maethlon bob tro oedd ymweld â Pashal's.

* * * *

'¿Dónde está Alaw?' holodd Laticia mewn llais chwarae gêm, ei hysgwyddau'n uchel a chledrau ei llaw tuag i fyny. Ble'r wyt ti? '¿Dónde está?'

Daeth pwffian chwerthin o'r tu ôl i'r soffa.

'No está debajo de las escaleras. No está detrás de las cortinas.' Doedd hi ddim o dan y grisiau na'r tu ôl i'r llenni. Gwnâi Laticia ei gorau glas i beidio â chwerthin. Daeth rhoch a gwich o'r tu ôl i'r soffa. Dim ond pen ac ysgwyddau Alaw Abril oedd o'r golwg. Ble gallai hi fod? '¿Dónde podría estar? ¿Está detrás del sofá?'

'¡Sí!' gwaeddodd Alaw, gan garlamu am yn ôl drwy'r teganau a chwerthin yn uchel. Cydiodd Laticia ynddi a'i chodi. '¡Aquí está!' Dyma hi!

Ar hynny, taflodd Carwyn ei freichiau amdanynt. 'A dyma nhw'u dwy!'

Gollyngodd Laticia sgrech fach sydyn. Nid oedd wedi clywed ei chariad yn dod i mewn am fod Dora la Exploradora yn dal i anturio ar yr iPad. Yna ochneidiodd dan wenu, a thoddi i'w freichiau.

'Dadi!' pefriodd Alaw, a rhoddodd Carwyn gusan fawr yr un ar dalcen ei ferch a gwar ei gariad.

'Sut oedd gwaith?' gofynnodd Laticia, gan fwytho'i ysgwydd.

'Iawn. Fel arfer. Diflas.'

'Ti wedi gweithio felly heddiw?!' gofynnodd yn gellweirus.

'Hei, wrth gwrs!... Rhywfaint,' ebychodd. 'Ond yffach, mae amser yn symud mor araf 'na. Pob chwarter awr yn llusgo 'mlaen fel...'

Ffrwydrodd Alaw. Gwaeddodd rywbeth annealladwy yn un o'i hieithoedd, llithrodd o freichiau ei mam, trawodd y pentwr llyfrau oddi ar y bwrdd coffi'n grac a thasgu o'r ystafell gan weiddi '¡Mierda!' Edrychodd Laticia a Carwyn ar ei gilydd heb lawer o syndod.

'Ti eisiau... ¿Que es *swap* en galés?' gofynnodd Laticia.

'Swop,' atebodd Carwyn ar ôl eiliad o feddwl. 'Dwlen i!'

Gwyddai'r ddau na fyddai hynny'n bosib. Roedd ganddynt forgais, yn un peth. Doedden nhw ddim wedi benthyg yn wirion. Tŷ teras dwy lofft, gydag ystafelloedd bach a nenfydau isel ar stryd fach yn Grangetown, a dim ond un tŷ arall ac ychydig fetrau o fancyn a ffens rhyngddyn nhw a'r rheilffordd. Ar gyflog diogel Carwyn yr oedd y morgais yn seiliedig. Ac i gymdeithas adeiladu rhieni Carwyn yr oedd y diolch am y blaendal. Roedd pethau'n ddigon tyn arnyn nhw fel roedd hi, rhwng y morgais, cynnal y cartref, a ffioedd cwrs Laticia. Heb sôn am y ffaith mai anodd iawn fyddai iddi hithau gael swydd ar gyflog tebyg i'r hyn a gâi Carwyn yn y Bwrdd. Na, doedd ceisio cyfnewid ddim yn opsiwn.

'Paned?' gofynnodd Laticia.

'Fe wna i'r paneidiau,' atebodd Carwyn. 'Cer di at dy ddesg.'

Dyma oedd nos Lun arferol yn 8 Stryd Cynon. Carwyn fyddai'n paratoi Alaw i'r gwely ac yn darllen stori iddi, cyn dechrau coginio, tra byddai Laticia, ar ôl diwrnod o ofalu, yn cael cyfle i fwrw at ei llyfrau am awr neu ddwy. Newydd gychwyn ar ail flwyddyn ei chwrs Meistr rhan-amser mewn busnes oedd hi. Er bod ganddi radd mewn economeg o Brifysgol Valencia, a'i bod yn siarad Sbaeneg a Saesneg yn rhugl pan ddaeth hi i fyw yma bedair blynedd yn ôl, ni lwyddodd i gael dim mwy na gwaith mewn caffis a barrau. Roedd cyflogwyr yn gyndyn i roi swyddi parhaol i ddinasyddion yr Undeb Ewropeaidd oherwydd, er i Brexit ddigwydd chwe mis yn ôl, roedd hawliau byw a gweithio rhai fel Laticia yn dal i fod yn destun trafodaeth. Ac wrth gwrs, roedd dyfodiad annisgwyl Alaw ddwy flynedd a hanner yn ôl wedi cyfyngu ar ei gallu i gymryd shifftiau.

Hwyliodd Carwyn y te, a daeth o hyd i Alaw yn y cwtsh dan stâr yn prysur dynnu popeth allan o'r bocs ailgylchu.

Fel arfer, bu cryn strancio i'w chael lan llofft ac wrth frwsio ei dannedd. Ond unwaith yr oedd yn ei hystafell wely, gostegodd. Aeth at ei chwpwrdd llyfrau a chwilio ar draws y silff Sbaeneg. Cydiodd yn llyfr ¡Pío Peep!

'Hwn, Dadi!' meddai, gan estyn y llyfr i'w thad a neidio ar y gwely.

'Na, Mamá sy'n darllen hwnna gyda ti,' atebodd. 'Edrych, beth am hwn?' Cydiodd yn ei hoff lyfr yntau o'r silff Gymraeg a'i ddangos iddi.

'Fi moyn Pío Peep,' meddai Alaw'n bwdlyd, a'i blinder yn bygwth deigryn.

Dyfal donc, meddyliodd Carwyn. 'Wyt ti'n cofio be fwytodd y teigr?'

'Pob sandwej en la cocina,' atebodd, ar ôl eiliad o feddwl.

'Rwy'n meddwl falle dy fod ti'n iawn.' Haws na'r arfer tro 'ma. 'Dere i ni gael gweld.'

Cwtsiodd Alaw rhwng Tedi Mawr a braich ei thad.

'Un tro roedd yna ferch fach o'r enw Catrin, ac roedd hi'n cael te gyda'i mam, yn y gegin. Yn sydyn canodd cloch y drws.'

* * * *

Yn y gegin, sgroliodd Carwyn drwy ei gerddoriaeth. Cliciodd ar albwm Lewis & Leigh, a thanio'r seinydd bach. Estynnodd y cynhwysion o'r cypyrddau a'u gosod yn daclus ar y bwrdd. Arllwysodd y lentils coch i sosban fawr heb eu mesur, rhoi dŵr arnynt a chynnau'r nwy. Aeth i'r oergell, a chrymodd er mwyn cael gweld labeli'r rhes o winoedd gwyn. Nabyddodd y label gwyrdd yn syth. Pepp Grüner Veltliner. Hon amdani. Cadarn a digon o flas, ond twtsh o felyster eirin gwlanog i dorri drwy'r sbeis. Agorodd hi, ac arllwysodd fymryn i wydryn a'i droelli. Caeodd ei lygaid a chododd y gwin at ei drwyn. Aaa, pupur gwyn.

Cynigiodd lwncdestun dychmygol i gyllideb penwythnosau adeiladu tîm y Bwrdd. Sesiwn blasu gwin a gafodd ar benwythnos o'r fath mewn gwinllan ym Mro Morgannwg (yn dilyn gwers goginio a chyn pryd pum cwrs, pum seren) wnaeth danio ei ddiddordeb mewn paru gwin a bwyd. Dyna oedd gwerth am arian. Rhoddodd y gwydryn i lawr, estyn gwydryn arall a hanner llenwi'r ddau.

Ar hynny, gan adnabod ei amseru i'r dim, daeth Laticia i'r gegin a chydio yn un o'r gwydrau. Talodd sylw sydyn i'r rhes liwgar o gynhwysion, troellodd y gwin a'i wynto. Plannodd gusan ar ei foch, a heb ddweud gair, trodd a dychwelyd at ei desg yn y lolfa.

Pwysodd Carwyn y botwm plws ddwywaith ar y seinydd bach a chymerodd lymaid o win. Cydiodd yn y winwnsyn mawr a'r gyllell fwyaf, a chychwyn ar y sioe. Roedd yn ei elfen.

Pennod 2

ROEDD JOHN AC Alaw'n cysgu'n braf pan ddaeth Laticia adref. Yntau'n chwyrnu, a thri chwarter uchaf ei gorff yn gorwedd ar y soffa a'i draed ar y llawr. Ac Alaw â'i phen yn ei gesail.

'Helô!' galwodd Laticia wrth dynnu ei chot yn y cyntedd.

'Dere miwn, Laticia fach,' atseiniodd Margaret wrth ddod o'r gegin i'r lolfa. Roedd ei ffedog ei hun amdani, a menig rwber melyn am ei dwylo. 'Ma'r ddou hyn yn cysgu'n sownd ers hanner awr!'

Bob dydd Mawrth a dydd Iau, byddai rhieni Carwyn yn gyrru o'u cartref yn y Tymbl i Gaerdydd er mwyn gwarchod eu hwyres fach tra byddai Laticia yn y brifysgol. Chwarae teg iddyn nhw, roedden nhw'n help mawr. Byddai'n anodd iawn ar y teulu bach heb Dad-cu a Mam-gu.

Roedden nhw wedi cymryd at Laticia o'r cychwyn. Wedi'r cyfan, onid oedden nhw wedi bod ar eu gwyliau i Sbaen droeon dros y blynyddoedd? Ac mae'n siŵr bod y ffaith iddi ddangos cymaint o ddiddordeb yn y Gymraeg wedi bod yn llawer o help. Roedd hi hyd yn oed wedi lawrlwytho ap i'w ffôn a dysgu ambell frawddeg cyn ei hymweliad cyntaf â'r Tymbl. Ac er y sioc gychwynnol o glywed, bum mis wedi iddyn nhw ddechrau canlyn, bod babi ar y ffordd, roedden nhw wrth eu bodd eu bod nhw am gael ŵyr neu wyres. Poenai Carwyn yn fawr cyn torri'r newydd iddynt. Beth ddwedai blaenoriaid Capel Uchaf y Tymbl, a Merched y Wawr? Ond na, rhannodd John a Margaret y newyddion â balchder ar winwydden y cwm.

'Rydych chi wedi bod yn glanhau eto,' meddai Laticia. 'Does dim rhaid i chi, wir.'

'Jiw, man a man, tra bo fi 'ma. Sdim iws i fi ishte lawr a neud dim byd, tra bo John ac Alaw yn cysgu. A ta beth, sda fi ginnig bod yn *bored*. Well 'da fi gadw'n fishi, os odw i'n timlo y galla i fod o help. Dishgled?'

Er bod Laticia'n eu hadnabod ers blynyddoedd bellach, roedd yn dal i orfod canolbwyntio i ddeall y dafodiaith. Roedd yn go wahanol i'r llais ar yr ap. Ac roedd yn amlwg bod acen Carwyn wedi newid ers gadael y cwm.

'Wel, diolch yn fawr i chi. Mae'n help mawr. Dwi am wneud coffi yn y *cafetière*.' Gwyddai Laticia mai coffi parod fyddai Margaret yn ei wneud fel arall. Roedden nhw'n cadw jar o hwnnw yn y cwpwrdd yn arbennig ar ei chyfer hi.

'Clatsia di bant 'te, bach. Sai'n deall yr hen plynjyr 'na.

A gymra i ddishgled o de.' Trodd Margaret yn ei hôl tua'r gegin gan ddiosg y menig rwber. Rhoddodd Laticia ei llaw'n ysgafn, ysgafn ar wallt Alaw rhag ei dihuno, a dilyn Margaret i'r gegin.

'Wyt ti'n gwbod pryd fydd Carwyn Siôn getre o'r gwaith?' gofynnodd Margaret, wrth chwilota yn y cwpwrdd dan y sinc.

'Fel arfer – tua chwech.' Estynnodd Laticia am y ffa coffi o'r oergell.

'Bydd yn rhaid i ni fynd whapda pump. Ma 'da John gyfarfod blaenoriaid heno. Welwn ni'm o'r crwt heddi 'to, 'te.' Bu distawrwydd am ychydig, ar wahân i ymbalfalu Margaret ymhlith y potiau glanhau.

'Mae'n gweithio'n galed,' mentrodd Laticia. Mewn gwirionedd, roedd yn ddigon balch y byddai'i rieni wedi gadael cyn i Carwyn ddod adref heno – roedd ganddi bethau i'w trafod wedi'r cyfan.

'Ody, wy'n gwbod. Mab 'i fam – ffaelu stopo.' Cododd yn sydyn, â phot llachar glas o lanhäwr lloriau caled yn ei llaw. 'Wath i fi fopo llawr y bathrwm tra bo nhw'u dou'n cysgu. Ddei di â'r ddishgled lan i fi?'

★ ★ ★ ★

Edrychodd Carwyn ar y cloc bach ar waelod ochr dde sgrin ei gyfrifiadur. 16:22. Damo'r cloc. Llawer rhy hawdd oedd edrych arno heb symud ei ben. Cydiodd mewn papur post-it melyn a'i osod dros y rhan honno o'r sgrin. Bu heddiw hyd yn oed yn waeth na'r arfer. Roedd sawl un o'i gyd-weithwyr i ffwrdd am wahanol resymau – cyfarfodydd, gwyliau, salwch. Felly bu llai o sgwrsio, a llai o baneidiau i'w hwylio.

O leiaf roedd wedi mentro darllen e-bost Gwen Anderson bore 'ma, ar ôl llyncu ei boer. Eisiau cyngor ar hysbysebu swyddi darlithwyr cyfrwng Cymraeg oedd hi, a sut i asesu gallu ieithyddol yr ymgeiswyr. Diolch byth – teimlai Carwyn yn ddigon hyderus i roi ateb go gynhwysfawr iddi, a'i chyfeirio at adnoddau addas. Cynigiodd hefyd y gallai ef fod yn rhan o'r panel cyfweld. Byddai'n gyfle da iddo gael mynd allan o'r swyddfa, meddyliodd.

Ond bu'r prynhawn yn uffernol o ddiflas. Wrth gwrs, mae'n siŵr na fu dychwelyd i'r Craddock am ail beint yn help, ar ôl ei ginio o ffagots, pys a thato potsh yng nghaffi'r farchnad. Am yr awr gyntaf yn ôl wrth ei ddesg, câi drafferth cadw ei lygaid ar agor. Roedd yn amau efallai fod Eirwen, ei reolwr llinell, wedi sylwi. Felly gwnaeth goffi cryf iddo'i hun – a phaneidiau i'r gweddill wrth gwrs – a bwrw ymlaen â'i waith. Bu hynny o help i'w ddihuno, ond roedd ei feddwl yn hel pob math o sgwarnogod eraill wedyn, yn lle canolbwyntio ar y ddogfen. Bu'n rhaid iddo ailddarllen un paragraff bedair gwaith.

Roedd y swydd yn ddelfrydol iddo, meddyliodd, pan welodd yr hysbyseb yn *Golwg* bum mlynedd yn ôl. Yn un peth, ac yntau wedi treulio llawer o'i amser yn y brifysgol yn Aberystwyth yn chwifio placardiau dros ddarpariaeth Gymraeg, a hyd yn oed wedi cysgu'r nos ar risiau llechi oer y Senedd mewn protest, dyma swydd fyddai'n ei alluogi i wneud rhywbeth go iawn, yn hytrach na chwyno'n unig. Yn ail beth, dyma swydd ddiogel ar gyflog deche a fyddai, o weithio'n galed, yn cynnig cyfleoedd iddo ddringo'r ysgol.

Gallai weld fod nifer helaeth o staff y Bwrdd yn gweithio'n galed. Roeddent hwythau, fel ef, wedi cychwyn yn llawn brwdfrydedd, ond wedyn yn parhau i weithio'n ddyfal, ddydd ar ôl dydd, i fynd â'r maen i'r wal. Gwyddai'n iawn fod nifer o'i gyd-weithwyr yn yr un ystafell yn gweithio mwy na'r 37 awr ofynnol yr wythnos, gan gronni oriau hyblyg yn anfwriadol. Tybiai nad oedden nhw byth yn cael cyfle i hawlio'r oriau hynny'n ôl am fod yna wastad waith i'w wneud, adroddiad tyngedfennol i'w lunio, swyddog iaith i'w pherswadio, gwas sifil i'w argyhoeddi, neu wleidydd i'w seboni. Roedd yntau, ar y llaw arall, mewn ras oriau hyblyg barhaus, a'r llinell derfyn yn symud gyda'r gorwel.

I ble'r aeth y tân yn ei fol? Roedd yn sicr yn dal yn frwd o blaid yr iaith, ac eisiau brwydro drosti. Ond un peth yw gwisgo arfbais o siaced *hi-vis*, rhoi helmed o het wlân ar eich pen, a chario cleddyf o blacard ar gampws prifysgol. Peth arall yw eistedd mewn swyddfa'n darllen cynlluniau, golygu polisïau, ail-lunio adroddiadau a chynnig yr un anogaeth am y canfed tro. Ysai am gael bloeddio'r hen ryfelgri unwaith eto... 'Beth y'n ni moyn? Addysg Gymraeg! Pryd y'n ni moyn e? Nawr!'

* * * *

'Huw 'achan!' cyfarchodd Carwyn ei gyfaill a oedd yn eistedd wrth y bar yn y Vaults. 'Ti dal byw!'

'Yndw, meddan nhw!' atebodd Huw. 'Ac mi fydda i'n well ar ôl y peint nesa 'ma.' Trodd a galw rownd y gornel i'r bar cefn. 'Ken! Two more please!'

Brasgamodd Carwyn tuag ato ac estyn ei law. Cododd Huw a chofleidio Carwyn gan anwybyddu ei law. Ar hynny daeth Ken rownd y gornel i'r bar ffrynt. 'Will you just look at these two lovebirds, back together at last!'

'Piss off, Ken,' meddai Huw, ac aeth y barmon crwn yn ei flaen i godi dau beint o SA, gan wenu fel giât.

'Ble ti 'di bod yn cadw?' gofynnodd Carwyn.

''Di bod yn brysur yn gwaith. Cythreulig. Heb gael munud i fi fy hun ers wsnosa.'

'Ma wastad amser am beint, 'achan.'

'Ambell botel yn tŷ wrth ddal fyny efo gwaith. Ond dwi yma rŵan, tydw.'

'Noson bant?'

''Di gorffan dau achos mawr wsos dwytha. Ac am y tro cynta ers oes, 'di gwaith ddim yn rhy drwm wsos yma. Dim ond y manion.'

Cyfreithiwr patentau mewn cwmni rhyngwladol oedd Huw. Roedd y ddau'n adnabod ei gilydd yn y brifysgol, er nad oedden nhw'n ffrindiau agos. Ond ddwy flynedd ar ôl graddio, a hwythau erbyn hynny wedi cael swyddi yng Nghaerdydd, dyma'r ddau, yn annibynnol ar ei gilydd, yn dechrau dod am beint i'r Vaults yn achlysurol ar ôl gwaith a dod yn ffrindiau da.

'A sut ma Carwyn Siôn?'

'Dal i fynd.'

'Prysur yn y Bwrdd?'

'Odw! Wel... gweddol.'

'A Laticia ac Alaw?'

'Grêt, diolch, odyn wir.' Synnodd Carwyn ar ryw amheuaeth yn ei lais ei hun. 'A tithe'r bwch? Oes wejen 'da ti erbyn hyn?'

'Dal yn ddi-swejan. Dim amser am ddim byd difrifol. Rhy brysur yn gneud 'y mhres, 'de!'

'Ac unrhyw lwc ar brynu tŷ?'

'Na. Dwi am sticio lle ydw i am y tro.'

'Ond ti'n taflu arian bant ar rent. Mae'n siŵr bod 'da ti hen ddigon o flaendal erbyn hyn.'

'Nid y pres 'di'r broblem. Y swydd. Efo petha fel ma

nhw ers i Brexit fynd drwadd, ma'r cwmni wrthi'n symud y pencadlys yn Ewrop o Lundain i Frankfurt. Ac mae sôn am gau swyddfa Caerdydd.'

'Shit. Allet ti golli dy swydd?'

'Wel, os 'di'r cwmni'n cael ei ffordd, mi wnân nhw sortio fisas gweithio, fel y gall nifer ohonan ni symud i Frankfurt. Fanno fyddan ni'n gweithio'n benna wedyn, ond yn dal i deithio i gyfarfodydd drwy Ewrop, fel ydan ni rŵan. Os cawn ni'r fisas.'

'Jiw. Shwt fyddet ti'n teimlo am symud i Frankfurt?'

'Digon hapus, deud y gwir. Does dim i 'nghadw i fama.'

'O! Diolch i ti!' meddai Carwyn, cyn cymryd llwnc helaeth o'i beint.

'Gei di gerdyn post! Ella bod y pres yn dda fama, ond mae'n dda *iawn* yn fanna, 'de.'

'A phryd wyt ti am hala'r holl arian 'ma?'

Rhewodd Huw, a'i wydryn wrth ei wefus. 'Wel, ar ôl ymddeol yn gynnar!' A chymerodd lwnc araf. 'Ond dwi'n poeni am y fisas gweithio. Fel ma petha'n mynd, dwi'm yn gweld y cwmni'n cael ei ffordd. Ma petha am fynd o ddrwg i waeth – dyna ddudodd ffrind i mi ym Mharis sy'n deall ei stwff.'

'O achos Brexit?'

'Ia. Ma pawb yn meddwl bod popeth 'di setlo. Ond efo Prydain yn dal i neidio o un polisi fisa i'r llall bob yn ail ddiwrnod, ma Brwsel yn debygol o dynhau petha o'u hochor nhw.'

'Shit,' atebodd Carwyn yn dawel. Syllodd y naill i beint y llall.

'Ydach chi rywfaint callach o ran sefyllfa Laticia?' mentrodd Huw ar ôl ychydig. 'Faint sy' ganddi ar ôl ar ei chwrs?'

'Ryw naw mis, wedyn traethawd hir. Felly fe fydd hi wedi cofrestru yn y brifysgol tan fis Awst y flwyddyn nesa. Ar ôl hynny, pwy a ŵyr?'

'Bydd yn rhaid i chi briodi!' meddai Huw â hanner gwên.

Chwarddodd Carwyn yn uchel. 'Rhamantus iawn,' meddai. 'Brexit bells are gonna chime!'

'Ond o ddifri, 'wan.' Gollyngodd Huw ei wên. 'Ydach chi 'di ystyried gneud?'

'Do, ond...'

'Mi ddyliach chi, 'sti. Ac yn go handi hefyd. Mi all arbed llawer o drafferth.'

Ers canlyniad y refferendwm, codai mater Brexit yn achlysurol rhwng Carwyn a Laticia. Beth fyddai'n digwydd pe câi Laticia ei gorfodi i adael? Ond na, bygythiadau gwleidyddion oedd hynny, siŵr. Fyddai'r un llywodraeth yn rhannu'r teulu, does bosib? Câi popeth ei sortio'n daclus yn y pen draw. Ac fel yna y gwthiwyd y peth i gefn eu meddyliau. Ond roedd gan

Huw bwynt. Pam lai priodi? Roedd ganddyn nhw blentyn a morgais gyda'i gilydd ac roedden nhw'n caru'i gilydd.

Roedd ei fam wedi codi'r mater droeon ar ôl clywed bod Laticia'n feichiog, gan ddweud hyd at syrffed mai priodi fyddai'r peth gorau iddyn nhw ac i'r plentyn. Ond nid oedd Carwyn na Laticia'n hoff o'r syniad o briodi ar frys bryd hynny, a phawb yn gwybod ei bod hi'n disgwyl. Rhoddodd Margaret y gorau i sôn am briodi wedyn, unwaith y daeth Alaw Abril i fynnu ei sylw.

Os nad oedden nhw'n hoff o'r syniad o briodi ar frys am fod plentyn ar y ffordd, oni ddylen nhw'n yr un modd ymwrthod â phriodi ar sail polisïau llywodraethau gwirion? Ond eto, yn ymarferol, efallai ei fod yn gwneud synnwyr. Ac efallai fod ei fam yn iawn wedi'r cyfan – mai dyma fyddai orau i Alaw.

Torrodd Huw ar draws y distawrwydd yn sydyn. 'Dwi'n gwybod lle i fynd â ti ar dy stag. Fyddi di'm angen pasbort.'

* * * *

Nid oedd angen iddo alw mewn unrhyw siop ar y ffordd adre heno. Cyn ei ginio o ffagots yng nghaffi'r farchnad, roedd eisoes wedi prynu'r cynhwysion ar gyfer swper. Roedd wrth ei fodd â'r ffaith bod ei swyddfa mor agos at y farchnad. Byddai'n mynd yno'n aml yn ystod ei awr ginio, hyd yn oed pan nad oedd angen iddo brynu dim. Llysiau lliwgar, cymeriadau lliwgar. Bŵts sment a sodlau uchel wrth stondin y cigydd. Cyw iâr organig a byrgyrs tewion. Caneris yn chwibanu o'u cewyll. Clytiau sychu llestri a phansys hen ddynion. Ffedogau streipiog a chwteri gwlyb. Gwynt hallt yr Iwerydd wedyn, a llygaid y pysgod yn pefrio ar yr iâ. Ac acenion bras y brifddinas yn gweiddi bargeinion diweddaraf y ffrwythau. Bocsaid o fafon gorau'r Alban am ddwy bunt! Ewch â rhai i'ch mam-gu!

★ ★ ★ ★

Rhoddodd ddwy lwyaid fawr o *peanut butter* yn y bowlen a gwerth rhyw ddeg eiliad o saws soi cyn ychwanegu'r tshili coch a'r garlleg yr oedd wedi'u chwalu'n barod. A llwyaid o siwgr brown. Cymysgodd, ond roedd rhywbeth o'i le. Yr olew! Ar ei gwrcwd yn estyn am yr olew hadau sesame o gefn y cwpwrdd roedd Carwyn pan deimlodd fysedd Laticia ar ei ysgwyddau, ac yn eu tylino'n ysgafn. Arhosodd yno am hanner munud, ag un fraich yn dal yn y cwpwrdd. Teimlai'r cariad yn treiddio i'w gnawd a'r Niwl yn syrffio'r tonfeddi o'r seinydd bach. Pam y dylai symud pan fo hyn mor hyfryd?

'Dim gwin heno?' gofynnodd Laticia, heb roi'r gorau i'r

tylino. Cododd Carwyn o'r diwedd. Trodd i'w hwynebu, a rhoi'i freichiau amdani.

'Jyst yn teimlo fel bod yn gall am unwaith,' atebodd Carwyn gan edrych i'w llygaid.

'Waw, tro cyntaf i bopeth!' gwenodd.

'Croeso i ti gael. Neu wyt ti eisiau i fi wneud ryw *apéritif* i ti?'

Edrychodd Laticia o'i chwmpas. Gwelodd y cig a'r llysiau, a'r saws satay yn y bowlen. 'Stir-fry?' gofynnodd yn chwilfrydig.

'Ie, felly ddyle fe ddim cymryd mwy na ryw ddeng munud.'

'Gymra i botel o gwrw,' meddai Laticia, gan deimlo angen hyder cyn y sgwrs. Trodd at yr oergell a chymryd potel o'r silff uchaf, a chydiodd mewn magned i'w hagor. Cymerodd lymaid, cyn rhoi ei bys yn y saws a'i lyfu. 'Necesita más aceite,' meddai.

'Dwi'n gwbod. Chwilio am yr olew o'n i pan ddaeth rhywun miwn i darfu arna i,' atebodd Carwyn yn gellweirus. Teimlai yntau'n hyderus.

'Well i fi roi llonydd i ti felly, *señor* call,' meddai Laticia wrth roi ei bys yn y saws eto. Taenodd fymryn o'r saws wedyn ar drwyn Carwyn, cyn rhedeg o'r ystafell dan chwerthin.

* * * *

Bu'r ddau'n dawel dros swper, ar wahân i gleciadau'r *chopsticks* a chyfeiliant y Niwl yn llenwi'r gegin. Roedd potel gwrw Laticia'n wag, ac ystyriodd agor un arall. Pam nad oedd Carwyn wedi cymryd diod heno? A oedd wedi synhwyro bod rhywbeth ar ei meddwl? Na, mae'n siŵr mai meddwl gormod am y peth oedd hi, gan ei bod hi'n nerfus. Ac efallai nad oedd angen iddi boeni beth bynnag. Roedd Carwyn yn synhwyrol ac yn ddyn ffein wedi'r cyfan. Byddai'n gyfle gwych iddi. Ac fe hedfanai'r tri mis heibio.

'Mae 'na fwy os wyt ti isie,' meddai Carwyn.

'Na, roedd yn lyfli, diolch,' atebodd Laticia. 'Gwaith yn iawn heddiw?' gofynnodd, gan geisio llywio'r sgwrs.

'Oedd, grêt,' atebodd Carwyn. Nid nawr fyddai'r amser i sôn am ba mor ddiflas oedd hi yn y swyddfa heddiw, ac yntau'n meddwl sôn am briodi. 'Roedd Huw yn y Vaults heno. Heb ei weld e yno ers pythefnos.'

'O, braf. Sut oedd e?' gofynnodd hithau.

'Roedd i weld yn dda. Wedi bod yn brysur iawn, fel mae e o hyd. Holi amdanat ti ac Alaw.'

'Be wnest ti ddweud?'

'Wel, dweud eich bod chi'n grêt wrth gwrs. Roedd yn holi am dy gwrs, a faint sydd 'da ti ar ôl.'

'Ie, mae'r cwrs am fynd heibio yn sydyn iawn, tydi? Meddylia mor gyflym aeth y flwyddyn ddiwethaf! Amser yn hedfan!'

'Ydi, mae e – fel y gwynt!'

Cyflymai'r sgwrs nawr, ac roedd y ddau'n hapus â'r cyfeiriad hyd yma.

'Sôn am y cwrs,' meddai Laticia, 'fe gefais i gyfarfod gyda Dr Wilkins bore 'ma, arweinydd y cwrs. Mae ganddo fe... cómo se dice... gysylltiadau da mewn llawer o brifysgolion.'

Nodiai Carwyn yn gefnogol.

'A dwedodd e bod cyfle weithiau i gyfnewid gyda myfyrwyr eraill, a threulio cyfnod dramor. Mae'n dda iawn i'r CV, dwedodd e. Dysgu am y byd busnes yn... rhyngwladol.' Roedd Laticia ar garlam erbyn hyn, ond arafodd nodio Carwyn.

'Dwedodd Dr Wilkins fod myfyriwr o Brifysgol Valencia wedi gwneud cais i ddod i Gaerdydd, a dyma Dr Wilkins yn dweud y gwnaeth e feddwl amdana i. Falle byddwn i eisiau cyfnewid.' Tawodd Laticia'n sydyn.

'Felly... beth?' Roedd Carwyn ar goll. Neu efallai'n gwrthod deall.

'Mae'n dda iawn i'r CV. Gwneud tri modiwl yn Valencia. A dwi'n adnabod rhai o'r staff yno. Dim ond tri mis. Mae amser yn hedfan, tydi?' Ceisiai gadw ei brwdfrydedd, yn y gobaith y byddai'r brwdfrydedd hwn yn treiddio o'i chorff, drwy'r bwrdd ac i mewn i Carwyn. Cododd yntau o'r bwrdd yn sydyn, fel petai'n synhwyro hynny.

'Tri mis? Yn Valencia?' gofynnodd Carwyn. Roedd wedi ei daflu oddi ar ei echel.

'Ie. Dyna i gyd!'

'Pryd?'

'Canol Ionawr. Fe fyddaf i'n ôl cyn y Pasg.'

'Blydi hel.' Camodd Carwyn yn ôl, a phwyso'n erbyn yr oergell. Teimlai Laticia gyhyrau ei hwyneb yn dechrau brifo dan straen ei brwdfrydedd.

'Beth am Alaw?' gofynnodd Carwyn, gan grychu'i dalcen.

'Bydd Alaw wrth ei bodd!' Roedd Laticia wedi disgwyl y cwestiwn hwn, ac wedi paratoi ei hateb. 'Dim ond dwywaith mae hi wedi cael cwrdd â Tía Clara go iawn. Ac maen nhw'n dod 'mlaen yn wych!'

'Felly bydd Alaw'n mynd gyda ti i Sbaen?' Roedd tôn ei lais wedi newid nawr. Teimlai'n sâl. Roedd pethau'n mynd yn gwbl groes i'r disgwyl. Un funud, roedd yn meddwl am briodi. Y funud nesaf, byddai ar ei ben ei hun am fisoedd.

'Wel, ie. Rhaid i Alaw ddod gyda fi.'

Teimlodd ei gwên yn llithro oddi ar ei hwyneb a diflannu o dan y bwrdd. Roedd ei greddf yn iawn wedi'r cyfan. Roedd ganddi le i boeni. Wrth gwrs na fyddai Carwyn wrth ei fodd â'r syniad. Pam dylai e fod? Byddai hyn yn newid sylweddol, am gyfnod. Rhythai Carwyn ar y dysglau gwag yn fud. Heb yn wybod iddi, cydiodd Laticia mewn *chopstick* a'i symud yn araf o'i blaen, fel petai'n ceisio consurio diweddglo gwell i'r sgwrs.

'Bydd Clara'n hapus iawn i gael gofalu am Alaw, tra 'mod i'n y coleg. Shiffts hwyr mae hi'n gweithio beth bynnag.'

'O, bydd Clara'n hapus, bydd? A beth amdana i?' Llwyddodd Carwyn i beidio â chodi ei lais, ond roedd yn amlwg yn ddig. 'Ga i ddim ei gweld hi am dri mis? Ga i ddim brwsio ei dannedd hi'n y bore, na darllen stori iddi na rhoi cusan nos da iddi?'

'Dwi'n deall. Dydi e ddim am fod yn hawdd i ti. Ond gallwn ni wneud iddo fe weithio.'

'Sut?!' chwarddodd Carwyn.

'Gei di ddod allan i'n gweld ni. A Skype.'

'Skype?! Blydi hel, Laticia. Ti'n methu cael perthynas gall dros sgrin ffôn!'

'Ha!' Tro Laticia oedd hi i chwerthin yn goeglyd nawr. 'That's what I've had to bloody do!' Sylwodd Laticia ddim iddi droi i'r Saesneg wrth godi'i llais. 'I've been trying to cael perthynas gall dros sgrin ffôn with my own sister and friends – for years! Dim ond tri mis yw hyn!'

Gwelai Carwyn iddo adael bwlch agored, a doedd ganddo ddim ateb callach na 'Blydi hel!'

Roedd Laticia ar gefn ei cheffyl erbyn hyn. 'Ac mae'n ddiddorol mai dim ond sôn am Alaw wyt ti. Ti heb ddweud dim amdanon *ni*.'

Wyddai hi ddim o ble ddaeth hynny. Roedd hi heb feddwl llawer am hyn ei hun.

Pwynt teg arall, meddyliodd Carwyn. Ond roedd yn ddig – onid oedd, funudau'n ôl, yn llawn bwriad sôn am briodi? A dyma hi nawr am adael y wlad, a mynd ag Alaw gyda hi, gan ddweud mai fe yw'r un sydd ddim yn poeni am eu perthynas. A'i wrychyn wedi codi, cyfarthodd, 'Ti wnaeth ddewis dod i Gymru! Ti wnaeth ddewis gwneud dy gartre yma!'

'I didn't know that I'd be pregnant within months – na ti chwaith, Carwyn! And I didn't know that your *stupid* country would vote for bloody Brexit! ¡Estúpidos idiotas!' poerodd yn deirieithog.

'Blydi hel!' meddai Carwyn drachefn. Dyna bwyntiau teg eto fyth. Cydiodd yn y llestri'n swnllyd, a dechrau llwytho'r peiriant.

'A dyna ni?' gofynnodd Laticia. Ni ddaeth ateb. 'Dim – waw, dyna gyffrous, Laticia! Cyfle gwych i ti! Bydd yn dda i dy yrfa. Bydd yn neis i ti dreulio amser gyda dy chwaer, a gweld dy ffrindiau. Dim?'

Roedd Carwyn ar dân eisiau gweiddi 'Dwi isie i ni briodi, Laticia! Dwi'n dy garu di, dwi'n caru'n teulu ni! Ni'n tri gyda'n gilydd!' Ond methodd. Ddaeth dim. Ac yno'n sarnu gweddillion y *stir-fry* o'r badell ffrio i'r bin bwyd y gadawodd Laticia ef, wrth iddi dasgu ymaith o'r gegin i'r lolfa gan ebychu dan ei gwynt.

Wel roedd hynna'n gachfa, meddyliodd Carwyn wrth gau drws y peiriant golchi llestri'n glep. Roedd wedi edrych 'mlaen at sgwrs gariadus, gyffrous. Ond gwyddai iddo ymateb yn uffernol. Safodd am ychydig a'i freichiau'n drionglau pigog bob ochr iddo, cyn agor drws yr oergell a chydio mewn potel faddeugar o gwrw oer.

Pennod 3

Teimlai Sblot yn oleuach na'r disgwyl y prynhawn hwnnw. Roedd yn wyntog, a'r cymylau'n ffurfio a diflannu fesul munud. Disgleiriai pyllau glaw'r bore ar hyd y palmentydd, a chwyrlïai'r dail cochion yn eu dawns beryglus rhwng y cerbydau. Breciodd y bws i stop yn sydyn gan orfodi'r teithwyr i blygu pen mewn gweddi. Y gyrrwr, chwarae teg iddo, oedd wedi gweld bod mam yn rhuthro gyda'i phlentyn tuag at yr arhosfan gan chwifio ei braich i geisio dal sylw. Daeth y weddi i ben wrth i'r drws hisio ei amen a chododd Carwyn ei lygaid i weld y fam yn talu ac yn dod i eistedd gyferbyn ag ef. Eisteddodd y bachgen yn ei chôl, a throdd ei ddwy lygad fawr tuag at Carwyn. Tynnodd Carwyn ei dafod, a gwenodd y mab cyn troi'n swil a phlannu'i ben dan haenau mynwesol gwisg ei fam.

Trodd Carwyn yn ôl tua'r ffenest. Ymhen deng munud byddai'n ôl yn ei swyddfa, a dim ond hanner awr ar ôl i sgwrsio ac ymateb i ambell e-bost cyn troi tua thre. Treuliodd y rhan fwyaf o'r diwrnod ar gampws dwyreiniol Coleg y Ddinas, yng nghwmni Gwen Anderson ac aelodau eraill staff y coleg yn cyfweld ymgeiswyr ar gyfer swyddi darlithio cyfrwng Cymraeg ym mhynciau Arlwyo ac Astudiaethau Ffilm.

Roedd wedi gosod tasg ysgrifenedig syml yr un iddynt, sef ysgrifennu adborth dychmygol i fyfyriwr ar ddarn o waith cwrs. Roedd gofyn i'r ymgeiswyr wedyn roi cyflwyniad byr dwyieithog gerbron y panel, a chafodd Carwyn hefyd ofyn dau gwestiwn yn Gymraeg fel rhan o'r cyfweliad. Roedd wrth ei fodd. Yn gyntaf oll, teimlai ei fod ef, fel Swyddog Cyswllt Addysg 16+ ym Mwrdd Comisiynu'r Gymraeg, wedi bod o beth help i berswadio'r coleg i gynnig rhagor o gyrsiau drwy gyfrwng y Gymraeg. Yn ail beth, o bosib am y tro cyntaf ers cychwyn yn ei swydd, teimlai ei fod yn cyflawni rhywbeth ymarferol a fyddai o gymorth i addysg Gymraeg. Ni theimlai iddo wneud hyn ers dyddiau'r protestiadau yn Aberystwyth, a châi wefr debyg yn awr wrth deithio ar y bws yn ôl i grombil y ddinas i'r hyn a gawsai saith mlynedd a rhagor yn ôl gan gofio'r criw yn brasgamu'n sychedig i lawr allt Penglais ar eu ffordd i'r Llew Du i ddathlu.

Cyfweliadau ar gyfer swydd darlithydd Arlwyo oedd yn y bore a'r ail gwestiwn a holodd i'r tri ymgeisydd oedd 'Beth yw eich hoff gawl, a sut byddech chi'n mynd ati i'w goginio?' Gallai gyfiawnhau gofyn y cwestiwn er mwyn gweld pa mor gyfforddus y byddai'r ymgeiswyr yn siarad am fwyd a choginio yn Gymraeg heb baratoi'r atebion.

Ond wrth gwrs, roedd Carwyn wrth ei fodd yn cael clywed a thrafod eu ryseitiau! Ei ffefryn oedd cawl asbaragws a ffenigl (er y bu'n rhaid i'r ymgeisydd ofyn beth oedd *fennel* yn Gymraeg). Yn ogystal â'r ffaith bod y rysáit yn ffordd dda o ddefnyddio asbaragws a welsai ddyddiau gwell, roedd cynnwys sblash o Pernod yn swnio'n berffaith. Edrychai ymlaen at roi cynnig ar y cawl ei hun.

Ac i goroni'r cyfan, roedd y ffaith iddo fod allan o'r swyddfa am y rhan fwyaf o'r dydd, a chael trafod a holi a chyfrannu, yn golygu bod y diwrnod wedi mynd fel y gwynt. Byddai'r hanner awr yn y swyddfa wedyn yn hedfan, meddyliodd, cyn cychwyn am adref, gan alw yn y Victoria Vaults am beint. Efallai ei fod yn haeddu dau heno, ac yntau heb gael peint amser cinio. Ond na, un sydyn wedyn adre. Cydiodd yn ei ffôn, ac anfon neges at Laticia – 'te amo x'. Ymhen eiliadau, daeth ateb – 'caru ti x'.

* * * *

Canodd Carwyn y corn. Roedd wedi edrych ymlaen at wneud hyn drwy gydol y daith i'r gorllewin ar hyd yr M4. Dychmygai'r olygfa, ac ni chafodd ei siomi. Ymhen eiliadau, ymddangosodd wyneb ei fam yn ffenest y lolfa, a throdd yr wyneb yn gegrwth. Wedyn darllenodd ei gwefusau'n yngan 'Carwyn Siôn!' mewn anghrediniaeth. Diflannodd yr wyneb am ychydig eiliadau, wedyn ymddangosodd dau wyneb. Roedd gwên fawr ar wyneb Margaret erbyn hyn, a thro ei dad oedd syllu'n gegrwth. 'Wel y jiw jiw!' ffurfiodd gwefusau John, cyn i'r ddau wyneb ddiflannu unwaith eto.

'Sgwn i pryd fuodd e yn y Tymbl ddiwethaf, meddyliodd. Tri, pedwar mis? Na, roedd e heb fod ers cyn i Alaw gael ei dwy, felly mae'n rhaid bod dros saith mis. Damo – dylai ddod yn ôl yn amlach. Wrth gwrs, byddai'n gweld ei rieni bron bob wythnos, am ychydig, ryw ben, yn Stryd Cynon. A byddai Alaw'n cael treulio dau ddiwrnod bob wythnos gyda Mam-gu a Dad-cu. Ond dylai yntau wneud mwy o ymdrech. Y troeon pan ddeuai'n ôl i gartref ei blentyndod, Bryn yr Awel, ar ben draw stad o dai unffurf o'r saithdegau, câi hwyl bob amser yng nghwmni ei rieni. Rhannu jôcs wrth chwarae ar eiriau. A chlywed hanesion hen a newydd y cwm, a'r cyfan yn gawl potsh yn ei gof.

Glywest ti bod Wil Top 'di marw? Pwy? Ti'n gwbod, ro'dd e'n frawd i honna o'dd yn dysgu hanes i ti. Mrs Evans? Nage, Delyth Enoch. Pwy? Sai'n cofio unrhyw Delyth Enoch yn dysgu yn yr ysgol. O. Wel, symudodd hi bant cyn i ti ddechre 'na, bownd o fod. Wy'n cofio dwgyd fale o ardd yr hen Mr Enoch, tad Wil a Delyth. Criw o ni gryts. Ond co fe'n dod mas o sied yr ardd a'n dala ni – neb ohonon ni'n gwbod 'i fod e 'na! Gethon ni bryd o dafod nes bo ni'n tasgu! Siarsio ni wedyn – tase fe'n ein dala ni'n dwgyd yr un afal oddi ar ei goeden e 'to, gele fe'r

37

bobi ar ein hole ni. Ond gethon ni fe. Ethon ni 'nôl 'na'r diwrnod
wedyn ar ôl neud yn siŵr nad oedd e getre a byta pob afal yn
yr ardd a gadel dim ond y calonne'n hongian o'r goeden! A'r
boi 'ma sydd wedi marw nawr? Nage 'chan, Wil Top, 'i fab e.
Harten. Es i i'r angladd dydd Mercher yn Gyfyrddin. Pum deg
naw. Yffach. O Top Tymbl oedd e? Nage, Cwm-mowr. Pam Wil
Top 'te? Dim syniad.

Erbyn i Margaret a John gyrraedd y clos, roedd Carwyn
wrthi'n rhyddhau Alaw o'i sedd.

'Alaw Abril Thomas!' gwaeddodd Margaret.

'Mam-gu!' atseiniodd Alaw gan redeg tuag ati a'i
breichiau'n agored.

Estynnodd John ei law i gyfarch ei fab. ''Ma beth yw
syrpréis! Achlysur arbennig?'

'Wel, doedd dim byd 'mlaen 'da fi, ac fe feddylies i ddod
ag Alaw i'ch gweld chi. A rhoi brêc bach i Laticia hefyd.'

Cydiodd Margaret yn Alaw a'i chario at ddrws y tŷ. 'A
dyma ti ym Mryn yr Awel!' meddai wrthi'n uchel. 'Mae'n
siŵr nad wyt ti'n cofio'r lle o gwbl!'

Cic i'r post i'r fuwch gael clywed, meddyliodd Carwyn,
cyn agor cist y car i ddadlwytho.

'O! Chi'n aros y nos?' gofynnodd John. 'Grêt! Os oes
dillad bob dydd miwn 'da ti, fe alli di roi pownd i fi symud
llwyth o hen slabs o'r cefen yn y bore.'

'Wrth gwrs,' atebodd Carwyn wrth fynd i'r tŷ. 'Jiw, ma
gwynt ffein 'ma!'

Sylwodd ar ei acen wreiddiol yn cryfhau wedi i'w ysgyfaint lenwi ag aer Cwm Gwendraeth. Doedd e erioed wedi ceisio newid ei acen, ond roedd nifer o'r cwm yn dweud ei fod wedi mynd i swnio'n fwy fel Gog, er nad oedd erioed wedi byw yn y gogledd. Dylanwad y gymysgedd o acenion a thafodieithoedd ym Mhantycelyn, mae'n siŵr, meddyliodd. Ac wedyn y twll du yng Nghaerdydd sy'n sugno tafodieithoedd y wlad i'w grombil. Eto, roedd digon o rai eraill o'r gorllewin a'r gogledd wedi cadw eu hacenion yn y brifddinas, er iddyn nhw fod yn byw yno ers degawdau. Pam ei fod yntau wedi addasu ei acen? A oedd rhywbeth yn ei isymwybod yn gyfrifol am hynny, rhyw ysfa i ddangos ei fod wedi newid, wedi symud ymlaen? Neu ai rhyw ymdrech sentimental ar ran y lleill oedd yn golygu eu bod nhw wedi cadw eu hacenion? Roedd yn meddwl gormod. Nid oedd ganddo lawer i'w ddweud wrth sentimentaleiddiwch.

'Amseru da, wrth ddod heddi,' meddai Margaret. 'Mae twlpyn mowr o ham yn y ffwrn. Gawn ni gino dwym nes mlân.'

Ar ôl dod â phopeth mewn o'r car, a gadael Alaw yn gi bach i'w mam-gu yn y gegin, llithrodd Carwyn i'r parlwr lle roedd y piano, ei hen ddesg, a silffoedd llyfrau'n llawn dop o'r llawr i'r to. Er mai hon oedd ystafell leiaf y tŷ, i fan hyn y byddai Carwyn bob amser yn dod i wneud ei waith cartref. Roedd yn hoff o'i ystafell wely, ond lle i gysgu, darllen a gwrando ar gerddoriaeth oedd honno iddo, nid ystafell i weithio ynddi. Dim ond yn awr, wrth feddwl am y peth, y sylweddolodd gymaint o'i arddegau a dreuliodd yn y parlwr bach. Prosiectau am gestyll ac afonydd, traethodau am waith Shakespeare a Thaliesin, rhedeg berfau yn Sbaeneg. Erbyn ei flwyddyn TGAU, byddai'n aml yn gweithio wrth ei ddesg tan hanner nos, yn drafftio ac ailddrafftio ar bapur, cyn teipio'r cyfan yn daclus. A phrit-sticio lluniau wedi'u torri o gylchgronau i addurno'r gwaith. Chwarddodd wrth feddwl ei fod, dros ugain mlynedd yn ddiweddarach, yn cael ei dalu'n hael am brit-sticio!

Eisteddodd wrth y piano wedyn, a chodi'r caead. Daeth y gwynt cyfarwydd i'w ffroenau. Pren a pholish a pholo mints. Agorodd y llyfr emynau a throdd at ei hoff emyn-dôn – 'Tyddewi'. Gosododd y llyfr yn ei le, ond nid oedd arno ei angen. Caeodd ei lygaid a dechrau chwarae. Wrth i'r naill gord ddilyn y llall yn rhydlyd, dyma wynebau'n ymddangos yn ei feddwl. Selogion Capel Uchaf oedden nhw, a'r rhan fwyaf wedi'u claddu. Dilys a Maureen, y ddwy hen chwaer ddibriod. Caradog y baswr tal. Denzil Tŷ Capel a'i wên a'i winc. A'i fam-gu.

Sentimental? Y fe?! Byth!

* * * *

'Fe aeth hi i gysgu bron yn syth ar ôl ei stori. Mae'n edrych mor fach yn y gwely mowr 'na!' meddai Margaret wrth ddewis loshinen o'r bocs a oedd ar agor yng nghôl ei gŵr, cyn cymryd ei lle yn ei chadair freichiau arferol. 'Trueni na ddaeth Laticia gyda ti.'

'Fi fynnodd ei bod hi'n cael diwrnod ar ei phen ei hunan yn gweithio ar ei thraethawd. Geith hi fynd mas gyda'i ffrindie heno.'

'Eitha reit, whare teg i ti,' cyfrannodd John o'r tu ôl i'r *Journal*.

''Dyw hi ddim yn cael llawer o amser sbâr. Ac anaml iawn mae'n cael noson mas gyda'i ffrindie. Sai'n cofio pryd aeth hi mas ar nos Sadwrn ddwetha,' meddai Carwyn, gan iro'r sgwrs.

'Ma bywyd rhywun yn newid unwaith ma plantos yn cyrraedd,' meddai Margaret. 'Fe gethon ni'n dou dipyn o newid byd pan ddest ti, yn do, John!'

'Do!' atebodd yntau, heb symud ei bapur. Aeth pethau'n dawel.

'Mae Laticia ac Alaw am fynd i Valencia am dri mis yn y flwyddyn newydd.' Shit. Ni fwriadodd ollwng y gath o'r cwd cweit mor sydyn. Plygodd John y *Journal* yn ddisymwth, a thynnu ei sbectol.

'Mynd i Sbaen?'

'Am dri mis?!'

''Dych chi erioed wedi bod i Valencia – bydd yn gyfle

da i chi gael gwyliau bach mas 'na. A ddim yn rhy dwym amser 'na. Yr amser gorau i fynd.'

Yna, dechreuodd Carwyn ar y llith yr oedd wedi'i pharatoi dros y diwrnodau diwethaf. Roedd yn adnabod ei rieni'n well na neb, a gwyddai'n iawn pa ddadleuon a chwestiynau fyddai'n codi. Bu'r sgwrs, i raddau helaeth, yn ddrych o'r ddadl a gawsai yntau a Laticia, ond ei fod ef bellach yn gwisgo mantell ei gariad. Byddai Alaw wrth ei bodd yn cael treulio amser gyda'i modryb, a hithau heb lawer o deulu ar ochr ei mam. Câi siarad Cymraeg bob dydd dros Skype gydag yntau, a Mam-gu a Dad-cu. A byddai'n dda i yrfa Laticia, a hithau'n cael trafferth cael swydd gall fel mae pethau.

Ond roedd pethau'n twymo. 'Ro'n i'n gwbod mai fel hyn bydde hi,' meddai John.

'Beth ti'n meddwl?' gofynnodd Carwyn yn fygythiol.

'John!' Gwnaeth Margaret lygaid mawr ar ei gŵr. Gwyddai at beth fyddai hyn yn arwain. Roedden nhw wedi llwyddo i osgoi'r pwnc ers blwyddyn.

'Na, na, gwed beth sydd ar dy feddwl di, Dad!'

'O'n i'n gwbod mai mater o amser o'dd hi. Cyn iddi fynd 'nôl.'

'Dim ond am dri mis mae'n mynd, fel rhan o'i chwrs.'

'Hy! Dim ond y dechre yw hyn, gw'boi. Geith hi waith mas 'na, a 'na ni wedyn. Sdim gwaith i gael iddi ffor' hyn.'

'A bai pwy yw hynny? Ei bod hi ffaelu cael swydd gall yng Nghymru?' Clywodd Carwyn ei hun yn anelu dadl Laticia yn bersonol at ei dad, cyn tanio. 'Pobl fel ti, wnaeth bleidleisio dros blydi Brexit!'

Cyn i bethau fynd o ddrwg i waeth, cododd Carwyn. 'Rwy'n mynd mas am beint.'

* * * *

Hanner ffordd drwy ei ail beint oedd e pan ddaeth y tîm darts yn ôl i'r Clwb, ar ôl gêm oddi cartref. Tan hynny, sgwrsio â Cynwal fu Carwyn yn bennaf, ar wahân i Dai'r landlord (a oedd yn rhy brysur yn trwsio golau'r bwrdd pŵl rhwng gweini i gael sgwrs gall). Ni allai Carwyn gofio bod yn y Clwb erioed heb fod Cynwal yno, a byddai sgwrs ddifyr ganddo bob amser. Yn wahanol i'r rhan fwyaf o'r selogion, byddai Cynwal, a allai fod unrhyw le rhwng saith deg a chant oed (ni holodd Carwyn erioed), wrth ei fodd yn ei holi am waith y Bwrdd, a chael sgwrs am wleidyddiaeth Llundain a'r Bae. Sosialydd rhonc, os nad comiwnydd, o genedlaetholwr oedd Cynwal. Undebwr mawr gynt, ac un o arweinwyr lleol streic y glowyr.

Gwyddai Carwyn mai pleidleisio o blaid Brexit wnaeth Cynwal hefyd, ond am resymau gwahanol i'w dad. A pharchai Carwyn safbwynt Cynwal. Cymru Gymraeg, sosialaidd, yn rhydd o grafangau neo-ryddfrydol San

Steffan a Brwsel, a'r cyfan yn eiddo i'r gweithwyr – dyna oedd ei freuddwyd fawr. Mewn sgyrsiau blaenorol roedd Carwyn wedi mwynhau herio a thynnu coes Cynwal am Brexit. Beth am ei frawdgarwch â chyd-weithwyr ledled Ewrop? Sut beth oedd bod ar yr un tîm â Johnson a Mogg a Murdoch? Ond daliai Cynwal ei dir bob tro. Gallai ei Gymru e fod yn ffagl o obaith i weddill gwledydd Ewrop a'r byd. Roedd wedi sgubo dadleuwyr llawer praffach na Carwyn dan y bwrdd dros y degawdau. Diflannai peint ar wib yn ei gwmni, a da iawn oedd y Felinfoel yma, meddyliodd Carwyn. Mwy o flas go iawn na'r SA.

Wedi i'r trafod gyrraedd Llundain, gochelodd Carwyn rhag i'r sgwrs droi'i golygon wedyn at Calais. Ni châi bleser o drafod Brexit heno, felly trodd yr hwyliau at harbwr diogel. "Dyw'r Scarlets ddim yn cael tymor rhy ddrwg hyd yma, Cynwal.'

'Carwyn, bachan!' Torrwyd ar eu traws gan Leighton. 'Heb weld ti ers *ages*. Be ti lan i 'de?'

Roedd Leighton ddwy flynedd yn hŷn na Carwyn, ond yr ieuengaf o blith y tîm darts. Doedden nhw erioed wedi bod yn ffrindiau agos fel y cyfryw, ond roedden nhw wastad yn ddigon cyfeillgar i sgwrsio â'i gilydd.

'Yffach, na, *ages*!' Gwingodd Carwyn wrth iddo ei glywed ei hun yn addasu. "Nôl am noson i weld Mam a Dad, a rhaid i fi ddod i'r Clwb i gael peint, wrth gwrs! Chwarae bant o'ch chi heno? Shwt aeth hi?'

Ers dechrau'r sgwrs, meddyliodd Carwyn fod rhywbeth yn wahanol am Leighton. Roedd ei wallt yn hirach na'r arfer, a thaclusach, a mân flewiach ffasiynol ar ei ên. Ond na, roedd rhywbeth arall.

'Ie, Crwbin away. Paid gofyn. Whalad.'

Ac ar hynny, sylweddolodd Carwyn. Roedd Leighton yn siarad Cymraeg! Gwyddai'n iawn y *gallai* siarad Cymraeg – roedd wedi bod i'r un ddwy ysgol ag ef. Ond ni chredai iddo erioed ei glywed yn siarad Cymraeg y tu allan i'r ysgol o'r blaen.

'Oreit, Cynwal? Shwt 'ych chi?'

'Go dda, 'machgen i.' Gwenodd yr hen ŵr yn falch. 'Shwt ma Amy a Harley 'da ti?'

'Grêt diolch, odyn. Fel y boi.' A chan daflu'i lais i gyfeiriad y bwrdd pŵl, 'Oes peint i gael yn y lle 'ma, Dai?'

Ar ôl i'r dartwyr gael eu lluniaeth ac ymgasglu yn y gornel bellaf i ailgychwyn taflu, trodd Carwyn at Cynwal â llais isel. 'Ers pryd ma Leighton yn siarad Cymraeg?'

Taflodd Cynwal olwg at Leighton a gwenu eto cyn troi'n ôl at Carwyn. 'Ryw naw, ddeg mis yn ôl. Prynhawn dydd Sadwrn oedd hi. Ddaeth e mewn fan hyn, fe a Harley. Co fe'n troi at ei fab a gofyn, *'You wanna can a coke, yeah? And crisps?'* Wel, os do fe! Co fe'n cael pregeth 'da fi. *'Ti'n magu dy fab yn Saesneg, grwt?! Be wede dy gyndeidie, gwed? Rwy'n cofio William, dy hen dad-cu.*

Withes i'r un wythïen â fe yn y Mynydd Mawr y flwyddyn ola
cyn i'r pwll gau. Ac wedyn rwy'n cofio dy dad-cu, Alcwyn, yn
Cynheidre ac wedyn lawr yn ffatri Marreks. Dou fachan da,
gweithwyr cryf. A dou Gymro glân gloyw. Bydden nhw'n troi
yn eu bedde o dy glywed di'n magu dy grwt yn Saesneg. 'Dyw
Amy ddim yn siarad Cymraeg, nagyw?' 'Nag yw,' medde fe'n
bwt. 'Felly dy waith di yw neud yn siŵr bod y crwt yn gallu
siarad iaith dy dad-cu a dy hen dad-cu. Mae'n ddyletswydd
arnat ti, bachan. Fel arall, ma'r Gymraeg am farw yn y cwm
'ma.' Dylet ti weld ei wyneb e. Yn gymysgwch o ofon a
siom. Archebodd e'r coke a'r crisps i'r mab – yn Gymraeg
– a bant â fe â'i gwt rhwng ei goese.'

'Ha! Chwarae teg i chi,' atebodd Carwyn.

'Rwy'n ei weld e 'ma'n amal. A 'dyw e na fi byth wedi sôn
am y peth ers hynny. Ond mae'n amlwg wedi gwrando.
Dim ond Cymraeg rwy'n ei glywed ganddo fe nawr, ac
ma llond pen o Gymraeg pert 'da Harley. Neith Leighton
hyd yn oed ddal ati yn Gymraeg pan mae'r lleill fan hyn
yn siarad Saesneg. Falle mai 'i wneud e i 'mhleso i mae e.
Ond sdim ots – mae i weld yn gwitho!'

Gwyliodd Carwyn law gref, wythiennog Cynwal yn
cydio yn ei beint a'i godi. Mae hwn yn dal i weithio ar y
ffas, meddyliodd yn llawn edmygedd.

Pennod 4

CHWIBANAI CARWYN YN braf wrth adael swyddfa Eirwen, ei reolwr llinell. Doedd e byth yn edrych ymlaen at y cyfarfodydd hyn bob pythefnos, am mai dala slac yn dynn fyddai fel arfer am yr wythnos a hanner cyntaf, a byddai wrthi fel lladd nadredd wedyn am y tridiau olaf cyn y cyfarfod nesaf, ac yn dethol ei dasgau'n ofalus er mwyn rhoi'r argraff ei fod wedi gwneud gwerth pythefnos o waith. Y diwrnod blaenorol, er enghraifft, anfonodd e-bost at y swyddogion priodol mewn dau goleg i holi am adroddiadau cynnydd ar eu cynlluniau iaith, fel y gallai ddweud yn y cyfarfod ag Eirwen bod yr adolygiadau hynny'n mynd rhagddynt, a bod y bêl honno'n awr yng nghwrt y colegau. Defnydd effeithlon o chwarter awr, barnodd.

Nawr ac yn y man, câi bwl o euogrwydd am ei ddiffyg ymdrech yn y gwaith, ond fyddai'r pyliau byth yn para'n hir. Lleddfai'r euogrwydd drwy gofio am straeon fel yr un honno am un o gyn-aelodau'r Bwrdd mewn digwyddiad yng ngwesty'r Metropole yn archebu dyblars o'r chwisgi drutaf, un ar ôl y llall, ac yn rhoi'r costau i gyd i lawr ar y treuliau. Pwrs cyhoeddus, yn wir.

Tynnai ymlaen yn dda gydag Eirwen. Roedd yn fenyw ffein, ac yn un o'r rhai, ym marn Carwyn, ddylai fod wedi hen gael dyrchafiad, gan ei bod yn gydwybodol ac yn dda iawn yn ei gwaith. Ond efallai mai rhy ffein oedd hi. Sylwodd yntau ers blynyddoedd mai chwarae gêm gwleidyddiaeth swyddfa fyddai nifer yn y sefydliad. Sawl tro, gwelodd rywun yn canmol aelod o'r staff, neu bolisi, neu syniad, un funud, yng ngŵydd rhywun penodol, ac wedyn yn lladd ar wrthrych y ganmoliaeth y funud nesaf, yng ngŵydd rhywun arall. A châi hyn oll ei anelu'n ofalus er mwyn gwneud yn siŵr bod y chwaraewr dan sylw'n codi yng nghynghrair edmygedd y personau cywir neu (yn amlach na pheidio) bod y gwrthwynebydd yn disgyn yn y gynghrair. Dyna'r brif ffordd o ennill dyrchafiad yn y gamp hon. Ac mae'n siŵr bod hynny wedi cyfrannu at ei ddiffyg ysgogiad yntau i weithio'n galed i ddringo'r ysgol, cysurai Carwyn ei hun.

Ond cafodd gyfarfod da heddiw. Yn dilyn adborth cadarnhaol iawn gan Gwen Anderson o Goleg y Ddinas ar gyfraniad Carwyn i'r cyfweliadau cyntaf hynny bron i ddau fis yn ôl, a gwahoddiad ganddi iddo fod yn rhan o'r broses gyfweld ar gyfer swydd arall yno, cafodd Eirwen gadarnhad gan Gyfarwyddwr y Tîm Addysg y gallai Carwyn fynd ati'n strategol i gynnig gwasanaeth asesu ymgeiswyr swyddi Cymraeg-yn-hanfodol i holl golegau a phrifysgolion Cymru. Y nod oedd y byddai, yn y flwyddyn newydd, yn treulio cyfwerth â diwrnod neu ddau yr wythnos ar hyn. Ac yn ei barn hithau, petai hynny'n llwyddiannus, efallai y byddai gan adrannau eraill y Bwrdd ddiddordeb mewn cael Carwyn i gynnig yr un gwasanaeth i wahanol sefydliadau sector cyhoeddus, a chwmnïau sector preifat hyd yn oed, gan weithio ar draws adrannau'r Bwrdd. Yn ôl Eirwen, byddai'n allgymorth da ar ran y Bwrdd (un o gas eiriau Carwyn) ac yn gyfle newydd i'r Bwrdd roddi cymorth i sefydliadau yn ymarferol. Pwy a ŵyr, ymhen chwe mis, efallai y câi Carwyn dreulio'r rhan fwyaf o'i amser yn datblygu a darparu'r gwasanaeth yma. A hei, efallai y câi godi i deitl a band cyflog Swyddog Datblygu!

Dyna un o ddau reswm yr oedd Carwyn yn chwibanu'n hapus wrth ddychwelyd at ei ddesg ar ôl y cyfarfod, gan roi pawen lawen i'r Siôn Corn tair troedfedd ar y bwrdd coffi yn yr ardal gyffredin. Y rheswm arall oedd ei bod yn dri o'r gloch, a phrin y byddai disgwyl i unrhyw un wneud llawer mwy o waith y prynhawn hwnnw a hithau'n brynhawn Gwener cyn y Nadolig. Erbyn pedwar o'r gloch byddai golau'r goeden wedi'i ddiffodd am y tro olaf a phawb ar eu ffordd i'r Cambrian am ddiod, cyn mynd ymlaen i ginio Nadolig y Bwrdd.

'Cau hi, Carwyn!' meddai Lisa. 'Dim mwy o Jingle Bells!'

'Ond mae'n Nadolig!' cyfarchodd Carwyn hi gan gynnig pawen lawen iddi hithau hefyd wrth ddychwelyd at ei ddesg yn ystafell Llawr 2 Dwyrain.

Anelodd Lisa, cyn rhoi slap egnïol i law feddal Carwyn, gan bwffian chwerthin.

'Aw!' meddai Carwyn gan rwbio'i law. '*Kapow*-en lawen oedd honna!'

'*Kapow*-en?!' Fflipinéc, Carwyn!'

'O, dere. Roedd honna'n go dda,' atebodd Carwyn, gan wenu'n falch am ei jôc.

'4 marc a hanner,' meddai James o ben draw'r ystafell.

'Mi wyt ti mewn hwylia da,' dadansoddodd Lisa.

Roedd Lisa yno ers mis, wrth y ddesg nesaf at Carwyn. Dros dro'r oedd hi yno, tra byddai Anna ar gyfnod mamolaeth. Roedd Carwyn yn hapus â'r trefniant hwn, gan fod Lisa yn fwy o hwyl, ac yn rhoi gystal ag oedd yn derbyn pan ddôi at dynnu coes. Y nhw'u dau, bron yn ddieithriad, fyddai'r olaf i ymdawelu a throi'n ôl i weithio ar ddiwedd y sgyrsiau hwyliog, traws-ystafell. A byddai eu sgwrs yn aml yn parhau hyd yn oed ar ôl i sawl llygad led feirniadol daflu'u golygon atynt. Pesychiad tawel ond cadarn Dafydd fyddai fel arfer yn dod â'u sgwrs i ben yn y diwedd, wrth i'r ddau droi i edrych ar ei gilydd a gwneud llygaid mawr ac wyneb 'wps!'

Eisteddodd Carwyn a dihuno sgrin ei gyfrifiadur. Gwelai ar waelod ei sgrin fod ganddo dri e-bost newydd, ond doedd dim pwynt agor y rhain nawr, a hithau bron yn wyliau. Fe gaen nhw aros tan ar ôl y Nadolig, meddyliodd. Ond byddai'n dda iddo orffen darllen drwy'r ddogfen y bu'n gweithio arni'r bore hwnnw, felly agorodd hi eto a bwrw ymlaen at y paragraff nesaf:

5.21. The overall implementation of this revised policy will be reviewed and monitored by the Welsh Language Monitoring Committee on a quarterly basis, with progress reports submitted to the committee by officers responsible for localised implementation at faculty level. These localised reports will be collated...

Sylweddolodd Carwyn fod ei law yn y bocs Roses a oedd hanner ffordd rhyngddo ef a Lisa, ac nad oedd wedi talu sylw i'r paragraff wedi'r llinell gyntaf. Roedd ei fysedd yn ceisio adnabod siâp Hazel Whirl. Methodd. Yna cofiodd yn sydyn, a goleuodd ei lygaid. Trodd at Lisa.

'Coffi?'

Edrychodd Lisa ar y cloc bach ar ei chyfrifiadur. 'Na, dwi'n iawn, diolch.'

'Ti'n edrych braidd yn welw – ti'n siŵr nad wyt ti angen rhyw pick-me-up?'

'Braidd yn welw? Wyt ti isio *kapow*-en arall gen i?!'

Anwybyddodd Carwyn y cwestiwn, a chynnig paned i weddill yr ystafell. Dafydd a Ceinwen oedd yr unig rai a oedd eisiau. Aeth Carwyn tua'r gegin fach, a oedd drwy fwlch di-ddrws yng nghornel yr ystafell. Yn y fan honno roedd y cotiau'n hongian hefyd, ac aeth Carwyn i boced frest ei got fawr, a thynnu fflasg fach arian, grom, maint cledr ei law, o'r boced. Roedd wedi ymatal rhag mynd i'r Craddock am ei beint arferol amser cinio, rhag i Eirwen wynto'r cwrw ar ei anadl yn y cyfarfod. Trodd i wynebu'r brif ystafell o'r gegin, ddau gam yn ôl o'r bwlch. Safai mewn man lle y gwyddai mai Lisa'n unig allai ei weld, a chododd y fflasg o'i flaen.

'Ti'n siŵr na chymri di goffi, Lisa?' galwodd Carwyn, gan roi shiglad fach i'r fflasg.

Trodd Lisa i edrych, ac roedd ar fin ysgwyd ei phen a gwrthod am y trydydd tro pan welodd oleuadau'r goeden yn tasgu'n bartïol oddi ar wyneb llachar y fflasg. Brathodd ei gwefus. Cymerodd gip sydyn o'i hamgylch, cyn gwenu ac ateb, 'Wel, ia, mi neith coffi bach les i mi cyn mynd allan heno.'

*   *   *   *

Cafodd Laticia gryn drafferth cael Alaw i gysgu. Roedd hi'n holi am ei thad yn ddi-baid, ac yn ffeindio pob math o bethau i'w gwneud a straeon i'w hadrodd yn lle chwilio am ei chwsg. Ysai Laticia i gael mynd i lawr at ei desg i orffen yr un darn olaf o waith cwrs cyn y Nadolig. Roedd hi bron yno. Byddai angen rhoi trefn ar y troednodiadau, llunio gwell casgliad, a darllen drwy'r cyfan unwaith eto. Ond po fwyaf y protestiai Alaw, mwyaf blinedig yr âi hithau, a lleiaf o awydd gweithio oedd arni. Fe allai adael y gwaith tan y bore, ond wedyn ni châi lawer o lonydd i weithio bryd hynny, meddyliodd, am y byddai Alaw'n siŵr o fod ar hyd lle erbyn saith o'r gloch, a Carwyn yn ei wely â'r penmaen-mawr ar ôl ei barti gwaith. Na, heno amdani. Ac wedyn tro Carwyn fyddai hi i ofalu nos fory tra byddai hithau'n cael noson allan i ddathlu'r Nadolig gyda'i ffrindiau coleg. A doedd hi ddim am ddal yn ôl.

'Sgwn i a fydd Alaw fel hyn gyda'i thad nos fory? Yn cicio a strancio, yn taflu'i brwsh dannedd i'r bath a thynnu ei phyjamas dro ar ôl tro? Ac a fyddai'n holi amdani hi? Ac yn gwrthod mynd i'r gwely am nad yw Mamá yno? Sori Carwyn, meddyliodd, ond gobeithio'n wir y bydd hi! Er y byddai hynny'n siŵr o olygu rhes o negeseuon oddi wrth Carwyn yn cwyno.

Cysgodd Alaw o'r diwedd, ond roedd ei chorff bach yn dal i brotestio a chicio. Esmwythodd Laticia ei gwallt i geisio ei thawelu yn ei chwsg. Roedd ei gwallt wedi tyfu gryn dipyn yn fwy trwchus dros y misoedd diwethaf, yn felfedaidd dywyll. Fel gwallt ei *abuela*, ei mam-gu yn Valencia. Byddai'i mam wedi bod wrth ei bodd cael bod yn *abuela*, meddyliodd. Byddai Alaw wedi llonni ei chalon. A byddai wedi bod yn naturiol annwyl yn y rôl honno.

Byddai'n werthfawr i Laticia ac Alaw gael treulio tri mis gyda Clara yn Valencia. Efallai y byddai Clara'n cofio mwy o'r hwiangerddi'r arferai eu mam eu canu iddyn nhw. Ac efallai y gallen nhw'u tair hel atgofion wrth edrych drwy albymau'r teulu yn fflat Clara. Roedd Clara'n well na hi am gadw a chofio pethau felly, er ei bod ddwy flynedd yn iau na Laticia.

Ac oedd, roedd Margaret yn fam-gu grêt. Yn llawer o hwyl a help. Ond er bod ganddi Margaret fan hyn a Clara yn Valencia, gwelai eisiau cael ei mam o gwmpas hyd yn oed yn fwy nawr wedi iddi ddod yn fam ei hun. I gael dysgu'r triciau bach mamol a rhannu gofidiau dros *churros* a siocled trwchus.

Pwysodd i lawr a rhoi cusan ar dalcen Alaw.

'Un beso de tu abuela,' sibrydodd. Cusan oddi wrth dy fam-gu.

* * * *

Dyma yw'r Nadolig, meddyliodd Carwyn wrth gamu'n ôl o'r stof am funud o seibiant. Blas sieri Amontillado oer, a gwynt twrci a selsig lond y tŷ. Cyfuniad perffaith. A chlychau llachar lleisiau'r teulu o'r lolfa wrth gwrs.

Roedd wrth ei fodd ag Amontillado, nid yn unig ei flas

cnau cyll, sych a chymhleth, ond hefyd y syniad y tu ôl i'r ddiod. Sieri Fino, sych a syml, yw'r bwriad i gychwyn ond, er yr holl addewid gwreiddiol, pan nad yw wedi aeddfedu'n iawn dan yr haen o furum, caiff ei gymryd wedyn a'i gryfhau, a'i roi mewn casgenni derw i aeddfedu'n hwy. Ac mae rhinweddau'r derw'n cyfrannu'n raddol dros nifer o flynyddoedd at flas a lliw tywyll y sieri. Ond nid dyna'r cyfan. Fel ag y mae, byddai'r hylif blynyddoedd, neu ddegawdau oed, yn blasu'n drwm a di-fflach. Ac felly caiff system gywrain y solera ei defnyddio i raeadru sieri o wahanol gasgenni, gan gyfuno gwin hŷn a gwin iau yn raddol dros y blynyddoedd. Mae'r hŷn yn cyfrannu'r aeddfedrwydd, a'r iau yn ychwanegu'r sioncrwydd. Dyma sy'n creu'r Amontillado a'i gymhlethdod crwn. Ac mae'n well yn y pen draw na'r hyn y bwriadwyd iddo fod i gychwyn.

Bwytawyd y cwrs cyntaf am hanner dydd, ryw awr ar ôl i John a Margaret gyrraedd. Ac roedd yn anelu i weini'r prif gwrs rhwng un a hanner awr wedi. Syniad Carwyn oedd hyn, er mwyn cael amser i gael y cinio twrci ar ei orau heb orfod brysio. A chael mwynhau wrth gwrs. Diflas i bawb fyddai gorfod brysio a phoeni am amser.

Coctel corgimwch oedd i gychwyn. Wythdegau iawn, ond un o ffefrynnau teulu Bryn yr Awel ers pan oedd yn blentyn. Ac yng nghwmni swigod siampên, does dim o'i le ar lwyaid dda o sentimentaleiddiwch stici, pinc, ar ddydd Nadolig. Ers hynny, bu Carwyn yn y gegin gan fwyaf, yn ôl ac ymlaen rhwng picio i rannu'r hwyl gyda'r lleill yn y lolfa.

Bu'r twrci'n rhostio dros nos, a gwnaed y saws bara ben bore. Ar ôl helpu Alaw i agor anrhegion Siôn Corn a Laticia'n ffilmio'r antur, bu'n paratoi'r llysiau a'r moch bach, a choginio bowlen ychwanegol o stwffin. (Deuai'r saws llugaeron o'r deli da yn yr arcêd, gan gwmni bach yn Swydd Henffordd. Er trio sawl tro, ni lwyddodd i greu gwell ei hun, felly pam trafferthu?) Yn syth ar ôl gorffen bwyta'r cwrs cyntaf, aeth y tato a'r pannas rhost i'r ffwrn, ac ychydig wedyn ymunodd y selsig a'r moch bach gyda nhw. Costrelwyd y gwin i gael aer, a rhoddwyd rhagor o dato ar y tân. Paratoadau trylwyr, amseru gofalus, trefn. Dyna'r cyfan oedd ar ôl nawr oedd berwi gweddill y llysiau a photsio'r tato, a'i hoff dasg o'r cyfan – gwneud y grefi.

Er iddo wneud grefi go iawn ganwaith, rhyfeddai Carwyn bob tro at ba mor ddwys yw blas sudd y cig yng ngwaelod y tun rhostio. Byddai bob amser yn rhoi blaen llwy ynddo i'w flasu er mwyn cael mwynhau'r ffrwydrad ar ei dafod. Un bach arall i wneud yn siŵr. Ie! Gwerth aderyn cyfan o flas wedi'i grynhoi mewn un diferyn bach!

Pan oedd y cyfan yn barod i'w osod ar y bwrdd, aeth i'r

lolfa i alw ar Laticia am ei help. I gyfeiliant sŵn saethu'r cowbois ar y sgrin, roedd hithau'n brysur yn rhoi'r rhesi isaf o addurniadau'n ôl ar y goeden, wedi i Alaw eu tynnu eto fyth, mae'n siŵr. Roedd sbectol ei fam ar flaen ei thrwyn a hithau wedi cychwyn ar un o'i nofelau newydd, ac roedd ei dad, fel y gallai fod wedi dyfalu, yn cysgu yn y gadair freichiau fwyaf, traed ei slipers ar y bwrdd coffi wrth ymyl gwydryn sieri gwag a'r cliciwr yn ei law. Ac Alaw wedyn, tywysoges y lolfa, yn eistedd ar orsedd o deganau a dillad a thrugareddau newydd sbon, yn chwarae gyda Jeffri Jiráff, foel gynffonfrown a chloff, y ffyddlonaf o'i ffrindiau ers ei chrud. Ni sylwodd neb fod Carwyn yno, felly arhosodd am ychydig yn gwenu a mwynhau'r olygfa.

Wedi iddo ddal ei llygad ac amneidio arni i ddod gydag ef i'r gegin, dilynodd Laticia ef, a chydio yn ei law'n dyner ar y ffordd. Yng nghanol y gegin, tynnodd ei fraich a'i droelli i'w hwynebu hi. Rhoddodd ei breichiau am ei ganol.

'Diolch Carwyn.'

'Ti'n gwbod 'mod i'n mwynhau coginio.'

'Nid dim ond y coginio.'

'Paid â phoeni, gewch chi'ch tri olchi'r llestri!'

'Na, wir. Popeth. Ie, y bwyd, a'r... como se dice... trefnu. Ond popeth. Y teulu. Ti. Diolch.'

Gwasgodd Laticia ei ganol, a phwyso ei phen ar

obennydd ei frest. Rhoddodd yntau gusan hir ar ei chorun a'i gwasgu'n ôl. Deallai'r ddau.

'Bydd popeth yn iawn,' meddai Carwyn gan rwbio'i chefn. 'Dwi'n edrych 'mlaen at fwyd Valencia yn barod!'

'Bydd yn anodd. I ni i gyd. Ond bydd e werth e.'

Tynnodd Carwyn anadl sydyn. 'Well inni roi'r bwyd ar y bwrdd, cyn i'r cyfan sychu'n grimp!'

Rhoddodd Laticia'r bwyd yn y dysglau a'u cario at y bwrdd tra bu Carwyn yn torri'r twrci. A chyda hynny daeth Margaret a John i'r gegin ac Alaw ym mreichiau ei mam-gu.

'Wedi dihuno, Dad?'

'E? Gysges i ddim!' Gwenodd Margaret a Laticia ar ei gilydd.

'Eisteddwch bawb,' meddai Laticia gan gymryd Alaw a'i rhoi yn y gadair uchel.

'Coch? Gyda twrci?!' ebychodd John gan gydio yn y gostrel wydr.

'Ie, Beaujolais 2012. Fe fydd e'n gweithio, gei di weld,' atebodd Carwyn yn hyderus. 'Gei di arllwys.'

Tywalltwyd y gwin, llenwyd y platiau. Tynnwyd y cracers a gwisgwyd yr hetiau. A chyfarwyddwyd yr olygfa gan Alaw o'i chadair.

'¡Salud!' cynigiodd Carwyn gan godi ei wydryn.

'¡Salud!' atebodd pawb, cyn taro gwydrau, a bicer, a bwrw at y prif gwrs.

'Mae'n siŵr mai yn Valencia gawn ni'n pump eistedd rownd y ford gyda'n gilydd nesa,' meddai Margaret. 'Gan gymryd y dei di mas yr un pryd â ni, Carwyn?'

'Syniad da!'

'A gall Clara ymuno â ni hefyd,' meddai Laticia.

'Wel ie, wrth gwrs. Bydd yn neis cael ei gweld hi 'to. Fe dretwn ni bawb mas am swper, yn 'newn ni, John?'

'Wrth gwrs! Ond ffiden ddeche, nid rhyw dapas bach,' meddai yntau'n ddrwgdybus, cyn stwffio sbrowten fawr i'w geg.

'Ydych chi wedi penderfynu pryd ddewch chi mas i'n gweld ni?'

'Na, ddim 'to. Ond fe 'newn ni benwythnos hir ohoni.'

Yn ôl traddodiad teulu Bryn yr Awel, fyddai neb eisiau pwdin tan ddiwedd y prynhawn, ar ôl agor gweddill yr anrhegion. Felly tra bu'r tri arall yn clirio'r bwrdd a golchi'r llestri aeth Carwyn i orwedd ar y soffa, ac roedd Alaw'n chwarae'n gysglyd ar ei fola. Roedd y ffilm gowbois yn dal i garlamu ar y teledu, a'r sain yn isel. Diolchai Carwyn nad oedd wedi gorfwyta'n wirion eleni. Jyst iawn, meddyliodd. Roedd symudiadau ysgafn Alaw a sŵn pell y ceffylau Arizonaidd, yn gymysg â blas melfedaidd, oediog y Beaujolais, yn ei hudo i gysgu.

Ffynnon ddofn, ddofn, a'r dŵr yn codi, heibio i'w figyrnau. Grisiau troellog tua'r golau'n llithrig, ac esgidiau Laticia'n dringo i fyny'n hyderus o'i flaen. Cerrig yn rhyddhau ac yn

disgyn. Gris gyfan yn dymchwel! Laticia! Ni ddeuai sŵn o'i
enau. Dim. Hithau'n parhau i ddringo, ac wyneb Alaw dros ei
hysgwydd yn ei wylio'n llithro, ac yn chwerthin. Dŵr hyd at ei
ganol, a'r cerrig yn troi'n fwd. Amlinell bell Laticia ac Alaw'n
diflannu i'r golau. LATICIA!

'Carwyn 'achan!' meddai John.

'A! Na! Mm?'

'Ti'n codi ofon ar Alaw,' meddai, gan gydio ynddi.

'O, sori,' meddai Carwyn yn gryg gan godi ar ei eistedd.
'Ro'n i'n breuddwydio, mae'n rhaid.'

''Na ti, 'na ti,' meddai John, gan fagu'i wyres. 'Popeth
yn iawn, 'nun fach i. Paid â chael ofon. Dadi sili wedi byta
gormod o dwrci.' Ac aeth i eistedd yn y gadair freichiau.

Daeth Laticia i mewn wedyn. 'Digestif?' cynigiodd.

'O, allen i ddim byta bripsyn mwy,' atebodd Margaret,
gan synnu iddi gael cynnig bishgïen.

Edrychodd John arni'n syn, a rholio ei lygaid wedyn
wrth i Laticia geisio dal rhag chwerthin.

'Gymren i golsyn bach,' meddai John. 'Well i ti agor dy
anrheg di'n syth,' meddai wrth ei fab. 'Yr un tal 'na yn y
papur gwyrdd.'

Cododd Carwyn o'r soffa'n benysgafn. Roedd wedi ei
ysgwyd gan y freuddwyd. Aeth ar ei bengliniau wrth y
goeden, a chydio yn yr anrheg siâp potel.

'DVD?'

'Nage, llyfyr!' meddai Margaret, wrth eistedd.

Rhwygodd Carwyn y papur, a datgelu'r label yn raddol. 'Lagavulin 16 oed.' Gwenodd. 'Gwych, diolch yn fawr iawn, Mam a Dad!' Aeth i'r cwpwrdd cornel ac estyn gwydrau. 'Wyt ti moyn rhywbeth ar ben dy golsyn, Dad?'

'Odw, colsyn bach arall!'

'Wel dwi am gael jin a tonic,' meddai Laticia. 'Margarét?'

Hoffai Margaret y ffordd ecsotig y dwedai Laticia ei henw. Yn dair sillaf glir, a'r acen ar y sillaf olaf, fel sigarét felys ei hieuenctid.

'Bydde jin a tonic bach yn lyfli, diolch i ti, cariad.'

Wedi i'r pedwar setlo â'u diodydd aed ymlaen i agor gweddill yr anrhegion. Roedd Alaw yn ôl yn ei hwyliau, a rhedai o'r naill i'r llall i gael helpu. Piclau cartref, sanau gwirion a chall, sliperi a sebonach. A chwarddwyd wrth weld wyneb John pan agorodd yntau un o'i anrhegion ef – llyfr lluniau anoracaidd o drenau Sbaen.

''Na ni 'te. Nadolig drosto am flwyddyn arall,' meddai Margaret yn drist.

'Cysurwr Job!' meddai John.

'Gewch chi ddod 'nôl i'r Tymbl aton ni flwyddyn nesa. Bydd lot wedi digwydd erbyn 'ny!'

'Diolch, Margarét, a John. Mae mor braf cael chi yma. Mae cael teulu o amgylch yn... braf.' Edrychodd i fyny ar y seren ar frig y goeden, rhag i ddeigryn ddianc.

Pwysodd Margaret draw at Laticia, a rhoi ei llaw ar ei hysgwydd. 'Ni'n deall bod adeg y Nadolig fel hyn bownd o fod yn anodd i ti, Laticia fach. Do'n ni ddim isie sôn dim cyn nawr, ond roedd e ar ein meddylie ni, on'd o'dd e, John?'

'O'dd, o'dd,' nodiodd John.

'Arhoswch funed,' meddai Carwyn. 'Ma un anrheg ar ôl draw fanna, ar y silff ffenest.' Trodd y tri i edrych tua'r ffenest. Cymerodd yntau lwnc helaeth o'i wisgi, a llenwyd ei ffroenau â mawn.

'Ble?' gofynnodd Margaret.

'Ar y chwith, jyst tu ôl i'r llenni fanna.'

Cododd Laticia a mynd at y ffenest. 'O, oes. I fi.'

Cydiodd yn y parsel bach, a daeth yn ôl at y soffa i'w agor. Gwelodd Carwyn ei fam yn taflu golwg sydyn ar ei dad, ei llygaid yn llydan a hanner gwên ar ei hwyneb. Câi Laticia drafferth ffeindio cornelyn i'w rwygo.

'Dónde está… Carwyn, wyt ti… wyt ti wedi prit-sticio hwn?!'

'Odw – doedd dim tâp selo yn y gwaith!'

Chwarddodd y tri'n nerfus. Ac ar ôl defnyddio ei dannedd, rhwygodd Laticia'r papur, a throi'r bocs bach gwyrdd y ffordd iawn. Roedd hi fel y galchen, a distawodd y lolfa. Roedd Alaw, hyd yn oed, yn sefyll yn stond heb smic gan synhwyro bod rhywbeth ar droed. Crynai ei bysedd wrth godi'r caead. A dyna hi. Modrwy ddiemwnt.

Yn grwn, yn llachar, yn gyfan a diogel. Yn gwenu arni'n gynnes fel gwên ei mam. Trodd at Carwyn, a gweld ei fod yntau wedi llithro i lawr ar un ben-glin heb iddi sylwi.

'Wnei di?'

'¡Sí!'

Pennod 5

ROEDD HEB WELD yr haul o gwbl heddiw, sylweddolodd. Roedd wedi cyrraedd y gwaith erbyn wyth, ar ôl brysio heibio i'r dynion cryf, hi-viziog, a dynnai'r goleuadau i lawr, ac yntau'n benderfynol o ennill y blaen ym mrwydr yr oriau hyblyg ar ddechrau'r flwyddyn fel hyn. Roedd bellach ar ei ffordd adref o'r gwaith, ac roedd y stwmps sigaréts a'r baw ci yn dal i fod wedi rhewi'n gorn ar y palmentydd.

Gwthiodd ei gorff drwy ddrws trwm y Vaults, a throi i'r chwith i mewn i'r bar. Fe'i croesawyd gan wres tawchlyd cotiau hen ddynion, a'r bochau cochion oddeutu gwên Ken. Roedd y gwydryn peint o dan dap yr SA eisoes yn chwarter llawn, ac yn prysur lenwi. Tyngai Carwyn fod y barmon yn adnabod y cwsmer wrth y modd yr agorai'r drws.

'Happy New Year, Caaawyn,' meddai Ken yn fwriadol hir, gan wybod yn iawn na hoffai Carwyn yr ynganiad hwnnw a boblogeiddiwyd adeg teyrnasiad y cyn-Brif Weinidog.

'Same to you and the wife,' atebodd Carwyn, gan

wybod yn iawn nad oedd Ken a'i ddyweddi pymtheng mlynedd wedi priodi.

Roedd wedi anfon neges at Huw y bore hwnnw i holi a oedd awydd peint toc wedi pump, a chafodd ateb cadarnhaol. Doedd e ddim wedi gweld Huw ers cyn y Nadolig, felly roedd cryn dipyn o ddal fyny i'w wneud. Cymerodd lwnc da o'i beint a mynd at y jiwcbocs gan roi punt i mewn. Cliciodd ar glasuron yr wythdegau a sgroliodd. Roedd 'Africa' gan Toto yn ddewis hawdd – un o'i ganeuon dod-yn-barod ym Mhantycelyn. Ac wedyn 'Funky Town' gan... a ie, Pseudo Echo.

'Ken, pick something from the eighties.'

'Africa,' meddai yntau'n syth.

'Got that,' atebodd Carwyn, eiliad cyn i'r drymiau a'r synths gychwyn.

'Beautiful Ones,' daeth ei ateb nesaf fel chwip.

'Prince? Fine. One more – something more upbeat.'

'Then it's got to be Bowie.' Oedodd, cyn gwenu a dweud, 'Let's dance.'

'Isn't that from the seventies?'

'Eighty three.'

Tywynnai edmygedd o wyneb Carwyn at wybodaeth drifia Ken am gerddoriaeth bop. Roedd fel peiriant. Aeth Carwyn ymlaen i sgrolio, ond roedd am i Huw gael dewis un. Hanner ffordd drwy'r ail gân, cydiodd Ken mewn gwydryn peint a thynnu pwmp yr SA. Daeth Huw drwy'r drws.

'Ma 'da fi un gân ar ôl. Dewis unrhyw beth o'r wythdegau,' meddai Carwyn.

'Gad i mi dy longyfarch di gynta,' meddai Huw gan gerdded ato ac estyn ei law. 'Dwi heb dy weld di ers ichi ddyweddïo.'

'Wel ie, diolch iti,' atebodd Carwyn gan ysgwyd ei law. 'Fe ddylen ni fod wedi cael parti bach. Ond ar ôl y Pasg fydd hi bellach. Nawr, dewisa gân, i ni gael eistedd.'

'Ydi'r Brodyr Gregory yno?'

'Sai'n credu bod y Victoria Vaults yn barod am synth-pop gorau Glanaman eto.'

'Iawn 'ta. "Africa" gan Toto.'

'Blydi hel! Wedi bod.'

'O. Rhywbeth gan Guns N' Roses.'

'Careful,' sibrydodd Ken.

'November Rain?' cynigiodd Huw yn betrus.

'Ninety one.'

'Sweet Child O' Mine?'

'Bingo, eighty seven.'

'Ddylian ni fynd â hwn i gwis tafarn,' meddai Huw wrth eistedd.

'Fe enillen ni'r rownd gerddoriaeth bop, ma 'na'n siŵr,' atebodd Carwyn.

'A ti ar fwyd, a finna ar chwaraeon.'

A throdd y sgwrs gan hynny at lwyddiannau diweddar Everton, clwb Huw, a thrafferthion Caerdydd, clwb Ken.

Doedd gan Carwyn ddim llawer o ddiddordeb mewn pêl-droed clwb, ond roedd yn ddigon parod i wneud hwyl am ei ben ei hun am iddo brynu crys Cymru adeg yr Ewros a'r ffaith ei fod yn mwynhau'r esgus ers hynny i fynd i'r dafarn pan fyddai'r tîm cenedlaethol yn chwarae.

Dechreuodd brysuro yn y Vaults erbyn i'r wythdegau ddod i ben, ac roedd haid o rai iau wedi dod i'r bar a pherchnogi'r jiwcbocs. Doedd eu dewis o ganeuon ddim at ddant Carwyn a Huw, felly symudodd y ddau i'r stafell gefn i gael gêm gyflym o pŵl wrth orffen eu hail beint.

'Wythnos a hanner cyn i Laticia ac Alaw hedfan,' meddai Carwyn, cyn chwalu'r pac.

'Lle fyddan nhw'n aros?'

'Ma llofft sbâr yn fflat ei chwaer. Ac mae'n hawdd dal bws o'r fflat i'r brifysgol.'

'A'i chwaer – Clara ia? – hi sydd am warchod?'

'Ie, gan fwya, ond mae 'na feithrinfa am ddim gan y brifysgol hefyd. Ac maen nhw wedi awgrymu y gallai Laticia gael rhywfaint o waith tiwtora ar gyfer myfyrwyr y flwyddyn gynta.'

'Bydd hynna'n dda iddi. I'r boced a'r CV. A does dim trafferth 'di bod o ran fisa?'

'Wel na, Sbaenes yw hi, 'dife? Geith hi weithio ble bynnag licith hi mas 'na.'

'Ia siŵr. Be sy' arna i.'

Potiodd Huw yr ail felen o'r bron, ond roedd wedi'i snwcro ei hun.

'Wyt ti rywfaint callach am symud i Frankfurt?'

'Edrych yn llai tebygol erbyn hyn. 'Di'r cwmni heb gael clywed dim cadarnhaol am fisas gweithio i ni, ac maen nhw'n cyflogi staff newydd yn raddol allan yno.'

Cerddodd o amgylch y bwrdd i chwilio am ffordd o'i chwmpas hi.

'Gei di aros yng Nghaerdydd felly?' gofynnodd Carwyn â thinc gobeithiol yn ei lais.

'Caf, am y tro,' meddai Huw yn ddiflas. 'Ond does dim sicrwydd eu bod nhw am gadw swyddfa Caerdydd ar agor. Ma llai o waith na'r disgwyl ar y llyfra dros y misoedd nesa. Ac roedd y syniad o gael mynd i'r Almaen i fyw 'di tyfu arna i. Mi wnes i lawrlwytho Say Something in German. Ac mi o'n i 'di bod yn chwilio am fflatia, a sbio ar gema Eintracht ar y we.'

Anelodd Huw, a tharo'n galed am i lawr i drio crymu llwybr y wen. Ond clipiodd honno'n erbyn pêl goch, a thasgu'n syth i'r boced ganol. 'Damia! Dwy siot.'

Casglodd Carwyn y wen, a'i hailosod.

'Ei di allan i Valencia sawl gwaith dros y tri mis nesa 'ma, dwi'n cymryd.'

'Rhyw ddwywaith o'n i 'di meddwl. Unwaith ar fy mhen fy hunan, ac unwaith gyda fy rhieni. Falle bydd yn gyfle da i fi ganolbwyntio ar 'y ngwaith. Cyfnod prysur, go gyffrous dros y misoedd nesa.'

'Ma petha'n mynd yn well i ti yn y Bwrdd erbyn hyn 'lly?'

Esboniodd Carwyn y datblygiadau ynglŷn â'r paneli cyfweld, a goblygiadau posib hynny i'w yrfa. Siaradai'n hyderus am yr hyn a wnâi, a'r ffaith mai fe gafodd y syniad yn y lle cyntaf. Petai'n dal ati fel hyn, a meddwl am ambell i syniad arall, gallai ddechrau gwneud argraff ar y cyfarwyddwyr. Symudai'n gyfforddus o un pot i'r llall. Efallai y gallai anelu am ddyrchafiad pellach wedyn, pan ddeuai swydd uwch yn rhydd yn y Bwrdd. A chael bod yn rheolwr llinell. Dewisodd bot anodd, hir i'r gornel uchaf, â'r hyder yn pefrio. Prin yr anelodd cyn taro'n galed. Dirgrynodd y goch rhwng ymylon y boced, cyn stopio yno'n stond fel afal yng ngheg mochyn.

'Iesgob!' meddai Huw. 'Mi fysa honna 'di bod yn chwech yn olynol!'

Edrychodd Carwyn o amgylch y bwrdd i gyfri. Ie, wir. Prin yr oedd wedi sylwi. Plygodd Huw i anelu. 'Grêt bod petha'n edrych yn well yn y Bwrdd. Ond cofia, nid gwaith 'di pob dim.' Tarodd, a methu.

'Ti'n un pert i siarad!'

'Ia, a sbia arna i. 'Di bod yn gweithio fatha diawl am bum mlynedd. Peryg o golli swydd. Dim cariad. Bol yn tyfu.'

'Cyfri banc yn tyfu.'

'Ond i be?'

'Angen wejen sydd arnat ti. Ffeindi di ffordd i hala'r arian wedyn, wy'n siŵr!'

'Wyt ti'n gwybod am rywun?'

'Daeth sawl pishyn mewn i'r bar ffrynt gynne.'

''Chydig yn ifanc. A thast uffernol mewn miwsig.'

Daeth Lisa i feddwl Carwyn. Ddwy flynedd yn iau na nhw, sengl, pert, lot o hwyl. Ond beth petai hi a Huw yn dechrau canlyn, a bod pethau'n mynd yn ffradach rhyngddyn nhw? Fyddai hynny'n chwithig iddo fe yn y swyddfa wedyn. Gwell peidio sôn am Lisa. Anelodd am y goch yng ngenau'r mochyn. Trawodd waelod y wen, er mwyn sgriwio'n ôl i'r siot nesaf. Ond sgriwiodd yn rhy galed. Potiodd y bêl gyntaf, a charlamodd y wen yn ôl a tharo'r un goch oedd ar ôl. Rowliodd honno tua'r boced bellaf, arafu, a disgyn i mewn. A daeth y wen i stop mewn llinell daclus ar gyfer y ddu. Chwarddodd Carwyn.

'Waw!' meddai Huw, gan dapio blaen ei giw ar ymyl y bwrdd mewn cydnabyddiaeth. 'Oedda chdi'n trio neud hynna?'

'Nag o'n, 'chan – ffliwcen lwyr!'

'Wel, mae'n haeddu peint beth bynnag. Fy rownd i,' meddai Huw gan anelu at y bar.

'Na, well i fi beidio. Bydd Laticia ac Alaw adre cyn hir

o dŷ ffrindiau, a dwi eisiau trio bod adre cyn iddyn nhw gyrraedd.'

* * * *

'Mae'n well i fi fynd,' meddai Laticia, gan ddechrau casglu pethau Alaw ynghyd.

'Diolch o galon am ddod draw i'n gweld ni,' atebodd Mari.

'Allwn ni ddim mynd i ffwrdd heb ffarwelio.'

'Aiff y tri mis heibio mewn chwinciad, gei di weld. Ac fe wnawn ni drefnu i ni'n pedwar fynd mas am noson pan fyddwch chi adre, a chael rhywun i warchod y plant.'

'Ie, syniad da.'

Drwy Mari y gwnaeth Laticia a Carwyn gwrdd. Roedd Mari a Carwyn yn yr un flwyddyn yn yr ysgol uwchradd, a Laticia a Mari wedi gweithio yn yr un bar am rai misoedd yng Nghaerdydd. Am gyfnod bu'r ddau gwpl yn mynd ar ddêts dwbl, er bod Mari a Richard yn briod ers blwyddyn. Ac wedyn dyma Mari a Laticia'n beichiogi o fewn mis i'w gilydd. Bu'r ddwy'n glòs ers hynny, ond daeth y dêts dwbl i ben rhwng y cewynnau a'r coetshys a'r diffyg cwsg.

'A diolch am y G&T,' meddai Laticia wedyn, wrth iddi hithau ac Alaw gwynfanllyd fynd drwy'r drws.

'Jiw, trêt bach. Sai'n gwbod pryd ges i ddrinc yn tŷ ganol wythnos ddwetha.'

'Na, na fi,' atebodd Laticia gan deimlo'r gwrid yn llenwi'i bochau. A bu'n dadlau â hi'i hun wedyn ar y ffordd adref. Doedd hi ddim yn cael diod bob nos. A phan gâi un, fyddai hi ddim yn yfed llawer. Rhyw *apéritif* neu wydryn o win cyn bwyd, a gwydryn o win wedyn gyda'r bwyd. Na, doedd hynny ddim bob nos. Nag oedd? Oedd, wythnos yma. Ond wedyn, ar ôl diwrnod gydag Alaw, neu ddiwrnod o ganolbwyntio yn y seminarau, mae rhywun angen diod bach i helpu i ymlacio gyda'r nos. Mae ei chyd-fyfyrwyr, y rhan fwyaf ohonyn nhw sawl blwyddyn yn iau na hi, wastad yn sôn am eu hantics hwyr y noson cynt ac ym mha far mae 'na goctels dau-am-bris-un heno. Ac os yw Carwyn yn cael galw am beint yn y Victoria Vaults ar ei ffordd adre o'r gwaith dair neu bedair gwaith yr wythnos, pam lai na chaiff hithau ryw ddiod bach hefyd, nawr ac yn y man?

* * * *

Dhansak cyw iâr amdani heno. Roedd wedi prynu'r cynhwysion ffres yn y farchnad amser cinio, felly dim ond pecyn o reis basmati fyddai ei angen o Pashal's. Tynnodd ei ffôn o'i boced wrth groesi afon Taf a llwyddo, ar ôl cryn drafferth â'i fysedd oer, i decstio Laticia i ddweud y byddai adre mewn chwarter awr. Cododd ei hwd dros ei ben a phlannu ei ddwylo'n ddwfn dan ei geseiliau. Roedd yn hen bryd iddo ddod o hyd i'w het a'i fenig yng nghefn y cwpwrdd, meddyliodd, fel y bu'n dweud wrtho'i hun ers deufis.

Trodd i lawr Clare Road, ac i gyfeiriad y siop, ond wrth agosáu, gwelodd fod rhywbeth o'i le. Doedd yr arwydd arferol ddim allan ar y stryd. Ac oedd, roedd y siop ar gau, a'r llenni metel wedi'u tynnu i lawr dros y ffenestri. Edrychodd ar ei oriawr. Pum munud wedi chwech oedd hi. Roedd Pashal's o hyd ar agor tan wyth. Ac wedyn stopiodd yn stond. Graffiti. GO HOME ac arwydd swastica yn fawr a choch ar hyd yr un wal wen oedd yn y golwg rhwng dwy ffenest fawr. A swastica coch arall ar y palmant wrth y rhiniog. Teimlai'n gyfoglyd. Llyncodd yn galed. Tynnodd ei hwd, ac edrych o'i gwmpas. Roedd dyn canol oed mewn cot ddyffl yn cerdded tuag ato ar hyd y palmant, a Yorkshire Terrier bach gwyn ar ddennyn yn ei gysgod. Syllodd Carwyn i wyneb y dyn, yn disgwyl cael rhannu rhyw fath o emosiwn. Aeth y dyn yn ei flaen yn syth heibio iddo heb arafu na dweud dim, a'r ddwy goes fawr a'r pedair coes fach yn camu dros y swastica'n slic a didrafferth, fel petai'n llun blodyn.

Edrychodd o'i amgylch eto. Goleuadau stryd, siop gornel arall ar agor yn nes i lawr, a dim sŵn heblaw am ddau gar yn mynd heibio. Cerddai menyw ifanc ar frys yr ochr draw, yn syllu ar ei ffôn. Oni fyddai unrhyw un yn sylwi? Edrychodd yn ôl ar y graffiti. Roedd y llawysgrifen yn anniben, a'r graffiti yn amlwg wedi'i wneud ar frys. Roedd yr M a'r E yn rhy fach, wedi'u gwasgu i mewn cyn i'r ffenest gychwyn. Estynnodd ei fys i gyffwrdd â'r inc. Roedd i'w weld yn wlyb, ond na, roedd wedi sychu. Yn y swastica ar y wal, roedd yr inc coch wedi rhedeg gryn dipyn, fel gwaed ar rwymyn. Yn yr un ar y palmant, roedd yr onglau allan ohoni, ac un sbocen yn pwyntio'r ffordd anghywir.

Roedd e eisiau gwneud rhywbeth. Eisiau gweiddi. Llefain. Ond doedd dim y gallai ei wneud. Dim ond düwch a lled-adlewyrchiad oren ohono'i hun oedd i'w weld yng ngwydr patrymog y drws. Rhoddodd ei law ar un o'r llenni metel a phwyso ei ben yn agos i edrych drwy'r mân holltau. Gallai weld amlinell y cownter a'r til, a rhai o'r silffoedd agosaf, wedi'u goleuo fymryn gan olau gwyrdd allanfa dân. Doedd dim y gallai ei wneud, er y tân a oedd yn llosgi yn ei fol erbyn hyn. Byddai Arham wedi cysylltu â'r heddlu, ac wedi penderfynu cau'r siop am y tro. Dyna ni.

Camodd yn ôl yn araf, a dechrau cerdded yn ei flaen tua thre. Stopiodd wrth gyrraedd y gornel, a meddwl. Na, roedd am wneud rhywbeth. Trio, beth bynnag. Allai e ddim peidio. Aeth i lawr y stryd hyd yr ochr, ac at ddrws di-nod. Doedd e erioed wedi bod at y drws hwn o'r blaen. A oedd hyd yn oed wedi sylwi ar y drws? Mae'n rhaid mai hwn oedd y drws preifat i'r ystafelloedd cefn, a'r cartref.

Heb syniad o'i fwriad, cnociodd. Shit. Be allai ddweud? Doedd dim yn digwydd, ac roedd ar fin troi ymaith pan glywodd allwedd yn troi, a chil y drws yn agor. Gwelodd wyneb ifanc, pryderus, a llygaid mawr, digynnwrf.

'Zehna, dwi'n...' meddai. Roedd yn gyfarwydd â merch Mr a Mrs Pashal, ond mae'n siŵr nad oedd hi'n ei adnabod e. Wedi'r cyfan, 'mond wedi ei weini wrth y cownter ambell dro ar benwythnosau ac yn ystod y gwyliau roedd hi. Ond teimlai fel petai e'n ei hadnabod hi drwy'r sgyrsiau aml a chynnes gyda'i thad ers symud i Grangetown a darganfod enaid hoff cytûn yn eu cariad at brydau bwyd a chynhwysion da.

'Carwyn! Popeth yn OK?' Taflodd gip heibio i Carwyn i lawr y stryd.

Synnai Carwyn ei bod yn gwybod ei enw. 'Odi, wel nadi. O'n i jyst isie...'

'Sori, so ni 'di agor y siop heddi. Fory falle.'

'Na, do'n i ddim isie prynu dim. Jyst isie dweud... 'mod i'n... Sai'n gwybod *beth* dwi isie dweud, a gweud y gwir. Y graffiti.'

Ar ôl eiliad o feddwl, agorodd Zehna y drws yn lletach. 'Wow, mae'n freezing heno. Ti isie dod mewn?'

'Na, sai isie achosi trafferth.'

'Dere mewn.'

Dilynodd Zehna drwy goridor tywyll ac i gegin gyfforddus yn y cefn. Doedd neb arall yno. Roedd y peiriant golchi llestri'n canu grwndi a lamp ddarllen yn goleuo'r soffa. Safai pentwr o lyfrau ar y bwrdd coffi a phentwr arall ar y soffa, ynghyd â gliniadur, llyfr nodiadau a beiro.

'Sori am y mess,' meddai Zehna â llais meddalach yn awr.

'Jiw, na, mae'n gartrefol 'ma. Sori – rwy'n tarfu ar dy waith coleg di.'

'Dwi 'di bod yn swoto ran fwya o'r dydd. Bydd exams pan fydda i'n mynd 'nôl.'

'Cemeg wyt ti'n astudio, ie? Shwt mae'n mynd?'

'Biochem. Mae'n grêt. Dwi'n rili joio Caergrawnt. Lot o bobl... wahanol i ni. Ti isie paned?'

'Na, wir, dwi'n iawn, diolch i ti.'

Cydiodd Zehna mewn ffeil o'r gadair freichiau i wneud lle i Carwyn, ac eisteddodd hithau ar y soffa.

'Ma Mam a Dad lan llofft. 'Na i ddim distyrbo nhw nawr.'

'Na, paid. Sdim isie o gwbl. Ro'n i jyst ishe dweud 'mod i'n... cydymdeimlo. Na, meddwl amdanoch chi. Fflip, sori, mae'n swnio fel bod rhywun 'di marw.'

Gwenodd Zehna. 'Ma heddi 'di bod yn anodd i ni. I Mam a Dad yn enwedig. Er, falle bod e ddim yn syndod mawr.'

'Sai 'di gweld dim byd fel hyn yng Nghaerdydd o'r blaen.'

'Dwi wedi. Lot. Ond 'di siop ni heb ei chael hi ers blynyddoedd. Roedd e'n rili gyffredin 'nôl yn y saithdegau, medde Dad. Nath pethe wella wedyn. Ond ers y refferendwm, mae pethe 'di mynd yn waeth 'to, definitely. Roedd e fel switsh.'

'Ro'n i 'di darllen cryn dipyn am 'na. Yn Lloegr yn benna. Ond sdim llawer 'di bod yn digwydd yng Nghaerdydd, nag oes?'

'Dim llawer o graffiti, na. Ond ma newid wedi bod, comments wrth baso. Ro'n i 'di arfer gydag ambell un yn gweiddi pethe cas ers pan o'n i'n blentyn. Ond roedd e'n brin iawn. Tan twenty sixteen. A nawr mae'n digwydd o hyd. Fan hyn ac yng Nghaergrawnt. Bob man. Bron bob dydd. Pobl ddiarth wastad, wrth gwrs. A Brexit sy' tu ôl i'r newid, heb os. "We voted leave, so go on and LEAVE".'

'Blydi hel.'

'So'r graffiti a'r sylwadau yn boddro *fi* lot. Ond mae'n cael *loads* o effaith ar Mam a Dad. A ma 'na'n gwneud fi'n rili grac. Mae'r ddau'n ypsét iawn. Ac mae Mam 'di mynd yn dost 'to. So 'na ble ma nhw, y ddau, yn y gwely am chwech o'r gloch y nos.'

'Ar ôl iddi dywyllu heno ddigwyddodd e? Mae'n siŵr bod 'na bobl 'di gweld pwy wnaeth.'

'Na, dros nos neithiwr. Dad nath sylwi pan aeth e mas i roi'r sign ar y pafin tua saith bore 'ma.'

Cymerodd ychydig eiliadau i Carwyn brosesu hynny.

Felly pan basiodd e heibio i'r siop ar ei ffordd i'r gwaith, tua chwarter i wyth, roedd y graffiti yno, a'r siop ar gau. Sylwodd e ddim. Mae'n rhaid ei fod e wedi cerdded yn syth dros y swastica ar lawr. Â'i ben yn y gwynt. Neu yn ei ffôn.

'Wnei di ddweud wrthyn nhw nes 'mlaen 'mod i'n cofio atyn nhw. A, wel, 'mod i'n grac iawn. Nid dyma beth mae pobl Caerdydd yn ei feddwl.'

'Ie, 'na i wneud. A ni'n gwybod. Pobl Caerdydd y'n ni. We get it.'

'Ie, sori. Falle mai fi ddyle "fynd gartre", i'r gorllewin.'

'Ie, chi Welshies. Comin' over 'ere, forcing our kids to speak your dead language!' Chwarddodd y ddau.

'I Blasmawr est ti, 'dife?'

'Ie, a Pwll Coch.'

'Rwy wastad wedi edmygu dy rieni am ddewis ysgolion Cymraeg iti.'

''Na beth oedd y peth obvious i neud, medden nhw. Cymry y'n nhw, ac o'n nhw isie i'w merch nhw siarad Cymraeg.'

'Jyst fel fy rhieni i, 'te. Er, doedd dim llawer o ddewis yn y Tymbl!'

'A synnet ti faint o Gymraeg ma Dad yn deall, er mai dim ond ambell air fan hyn a fan 'co 'neith e iwso.'

'Falle ddylen i ddechre siarad Cymraeg gyda fe.'

'Ie, go for it!'

'Ma dy dad wastad mor groesawgar – nabod ei gwsmeriaid i gyd, mae'n amlwg.'

'Mae'r siop yn rhan o'r cartre iddo fe. A lot o'r cwsmeriaid yn rhan o'r teulu. Mae'n dod drwyddo i'r gegin wedyn, a ni'n cael clywed pwy sy' 'di bod yn ystod y dydd, beth maen nhw 'di bod lan i, a beth maen nhw am gael i swper!'

'Felly 'na fel ti'n gwybod yn enw i!'

'Ie. Ond sai'n gwybod 'to beth ti am gael i swper heno.'

'Wel, ro'n i wedi bwriadu gwneud dhansak, ond does dim reis yn tŷ. Felly rhywbeth hawdd o'r rhewgell fydd hi.'

''Na i hôl reis i ti nawr,' meddai Zehna gan godi a mynd i gyfeiriad y siop.

'Na, wir, nid 'na pam ddes i 'ma.'

'Shwsh. Basmati? A sai'n agor y til lan, *so no way* ti'n talu.'

Gwenodd Carwyn. 'Ie, basmati. Diolch.'

Pennod 6

CHICKEN RECIPES, TEIPIODD. Go. Sweip. BBC, Tesco, Jamie Oliver. Sweip arall. Cylchgrawn coginio o Iwerddon. Tap. Sweip. Sweip. Na, diflas. Yn ôl i Google.

'Cheers Ken.' Cydiodd yn ei ail beint ar ôl gwaith, a chymryd llwnc. Sweip. More results. Tap. Waitrose. Slimming World. Mamma's Cookin. Tap. Tap ar groes i gau hysbyseb. Lip lickin barbecue chicken, Soothin' chicken soup, Good ol' chicken pie. Tap ar groes i gau blydi hysbyseb arall. Rhoddodd y ffôn i lawr.

Pan aeth am dro drwy'r farchnad yn ei awr ginio yn gynharach y diwrnod hwnnw cafodd y syniad o wneud rhyw fath o gyrri cyw iâr. A man a man gwneud llond pot mawr ohono, er mai coginio i un a wnâi. Gallai rannu'r cyfan i dybiau plastig, a'u rhewi. Felly prynodd chwe brest cyw iâr, gyda'r croen yn dal arnyn nhw, a phupur melyn a moron, a'u cadw nhw wedyn yn yr oergell yng nghegin fach Llawr 2 Dwyrain tan amser gadael. Roedd y cig a'r llysiau bellach yn twymo'n braf yn eu cwdyn a hongiai dan got Carwyn ar fachyn ym mar y Vaults.

Doedd dim awydd gwneud cyrri arno erbyn hyn. Felly

roedd yn trio meddwl am rywbeth gwahanol, haws. Pam ddiawl brynodd e chwe brest? Byddai'n well iddo drio gwneud rhywbeth â nhw heno. 'Dyw brestiau cyfan wedi eu rhewi'n amrwd byth cystal wedyn.

Roedd wedi tecstio Huw ganol pnawn i holi a oedd awydd peint arno ar ôl gwaith, ond ni ddaeth ateb. Cododd ei ffôn eto. Dangosai'r tic bach fod Huw wedi gweld y neges. Ond na, doedd dim ateb. A throdd at Twitter.

'Another?' gofynnodd Ken.

Cododd Carwyn ei ben o'i ffôn mewn syndod, cyn edrych i lawr ar ei wydryn. Roedd hwnnw bron yn wag. Duw, iawn, trydydd amdani, tra ei fod yn dewis beth i'w goginio. Ac ailagorodd y we. Teipiodd *easy chicken recipes*. Sweip. Sweip.

Aeth wythnos a hanner heibio ers i Laticia ac Alaw fynd, a dyma'r diwrnod cyntaf iddo beidio â chael cyfle i siarad â hi ar y ffôn. Rhyw ddigwyddiad oedd ymlaen gan Laticia yn y Gyfadran gyda'r hwyr, a gwleidydd o Frwsel yn dod i ddarlithio. Roedd wedi trio ffonio Clara hefyd, yn ei awr ginio, ac wedyn ganol prynhawn o'r ystafell gyfarfod fach, er mwyn cael sgeipio ag Alaw. Ac roedd Clara wedi trio ffonio'n ôl, chwarae teg iddi, pan oedd yntau mewn cyfarfod.

Ar un o'r gwefannau ryseitiau, gwelodd hysbyseb am wydrau sieri. Roedd wedi bwriadu prynu gwydrau sieri go iawn ers tro. Tap. A threuliodd weddill ei drydydd peint yn cymharu trwch, ansawdd a siâp y gwydrau bach soffistigedig.

'One more, Ken,' meddai, cyn gwagio'r gwydryn. Falle mai *stir-fry* cyflym fyddai hi'n diwedd, a rhewi pum brest.

Cyrhaeddodd ei SA, a chyda hynny, daeth Alan drwy'r drws yn ei siwmper Trafnidiaeth Cymru.

'Carling?' gofynnodd Ken, wrth i'r hylif euraidd, ewynnog chwyrlïo tuag at yr hanner ffordd.

'And not a moment too soon,' atebodd Alan.

Trafodwyd trafferthion y trenau. Goddiweddwyd tynged yr iaith. Ac aed ymlaen wedyn at rygbi. Gwyddai Carwyn ddigon, jyst, i allu cynnal sgwrs am y gamp hon heb swnio'n gîc llwyr, a gwyddai ddigon i allu tynnu coes Alan am ddiffygion pac y Gleision. Ceisiodd yntau ymateb gan sôn am y Scarlets, ond gwyddai nad oedd man gwan penodol ganddyn nhw y gallai anelu ato y tymor hwn. Felly dim ond un peth oedd amdani, gan ei fod yn gwybod ei fod yn well na Carwyn am chwarae pŵl.

'Shall I rack her up?'

'Yeah, go on then.'

* * * *

Teimlai Carwyn y cwrw oer yn corddi yn ei fol, ac roedd angen mynd eto, er iddo fynd bum munud yn ôl cyn gadael y Vaults. Ar ôl dod o dan y bont reilffordd, aeth at gornel y ffens, lle'r oedd cefn arwydd ffordd rhyngddo ef a golau'r stryd. Edrychodd o'i amgylch, ac wedyn ar y cwdyn melyn o'r farchnad yn ei law. Teimlodd y cynnwys – roedd y cig yn gynhesach na'i fysedd. Ych a fi. Tynnodd ei fraich yn ôl a rhoi whind i'r cwdyn nes ei fod yn hedfan yn daflegryn dros y ffens uchel a glanio yng nghanol y mieri trwchus, gan hongian bedair troedfedd uwch y ddaear. Ac yno'r oedd, yn dal i siglo'n llipa fygythiol ar fachau'r chwyn, pan gaeodd Carwyn ei gopish.

Pump i ddwy oedd sgôr derfynol y pŵl ryw hanner awr yn gynharach, pan ffarweliodd Alan yn fodlon ei fyd i ddychwelyd at ei slipers a'i gath a'i ffilm arswyd, a phan gychwynnodd Carwyn ar ei seithfed peint, a'i olaf. Gwyddai na ddylai fod wedi aros yno cyhyd. Ond i beth yr âi adre? Doedd dim hyd yn oed pedair pawen a wisgers yn aros i'w groesawu, a byddai'r tŷ'n oer. O leia roedd sgwrs a gwres i'w cael yn y Vaults.

Roedd yn naw erbyn hyn, wrth iddo gerdded heibio i lenni metel Pashal's, a thros y sgwaryn o baent du ar y palmant. Ymlaen ag ef am hanner canllath arall, ac i mewn i'r siop gebábs. Archebodd ac eisteddodd i aros.

Llifai'r cynhesrwydd o'r griliau llydan a'r ffyrnau pitsas, ac roedd y paent trwchus gwyrdd tywyll yn syndod o gartrefol, er mor anghyffforddus oedd yr hanner mainc ynghlwm wrth wal. Dim ond un dyn canol oed a weithiai y tu ôl i'r cownter, a chroen ei din ar ei dalcen, meddyliodd Carwyn. Doedd dim pwynt cychwyn sgwrs gyda hwn. Trodd ei sylw at y set deledu mewn cornel uchel uwch y drws. Newyddion di-sŵn. Dau gwch gweddol fach, a'r camera'n amlwg yn ffilmio o hofrenydd. Neu drôn efallai. O Dduw, nid ffoaduriaid mewn trafferth eto, gobeithio? Druans bach. Tynhaodd y saethiad. Dal sownd. Nage, afon Tafwys yw honna. Tynhawyd y saethiad eto, a ffocyswyd ar un dyn gwyn, canol oed, wyneb rhech-ar-dro, ar ei draed ar fwrdd un o'r cychod. Gwisgai siaced achub dros got binstreip, uchelseinydd yn y naill law a sigarét yn y llall. O. Protest pysgotwyr. A'r twat yma'n eu defnyddio i droi'r dŵr i'w felin ei hun eto fyth.

'Ketchup-mint-sauce-chilli-sauce-mayo-garlic-mayo-please-sir?' gofynnodd y gŵr am y canfed tro yr wythnos hon.

'Chilli sauce on the kebab, garlic mayo on the chips please.'

Ac wrth i berchennog y bwyty foddi'r saig dan donnau coch a gwyn, teimlodd Carwyn rywbeth yn cnoi yn ei stumog.

'Would you mind… if I ate it here?'

Casglodd y bocs polystyren cyn eistedd drachefn ar yr hanner mainc anghyffforddus a phwyso i fwyta ei swper ar y bwrdd uchel, sigledig a stici. Daeth dyn arall, iau, o'r cefn i ymuno â'r llall tu ôl i'r cownter. Cariai bentwr o focsys pitsa fflat, gan ofyn rhywbeth mewn iaith a oedd yn anghyfarwydd i Carwyn. Atebodd y gŵr hŷn, a chwarddodd y ddau. Tad a mab, dyfalodd. A bu'n gwrando a gwylio wrth i'r sgwrs fynd rhagddi, gan geisio dyfalu pa iaith ydoedd. Nid Arabeg, barnodd. Efallai Twrceg, neu iaith brinnach fel Cwrdeg neu Armeneg? Ystyriodd ofyn, ond am ryw reswm nid oedd eisiau tarfu ar eu sgwrs, na'u gorfodi i'w gynnwys e mewn sgwrs. Gwyliwr oedd e, a drama ddomestig ar deledu mewn gwesty tramor oedd hon. Ond bod yr actio'n fwy credadwy.

Sglaffiai'n ddistaw wrth wylio dwylo prysur y mab yn agor y pecynnau fflat, un ar y tro, ac yn adeiladu bocsys ohonynt, tra bo'r tad yn chwarae â'r clwtyn yn ei law ac yn pwyso ar yr oergell ddiodydd. Y mab oedd uchaf ei gloch, yn geirio'n llifeiriog ond â'i gytseiniaid yn feddal fel iogwrt. A'r tad yn aros ei gyfle'n brofiadol cyn torri dau neu dri gair, ei dafod yn ei foch a blew'r brwsh o dan ei drwyn yn crynu'n ogleisiol. Y mab yn cellweirio syndod wedyn, gan anghytuno'n daer. A llygaid y ddau'n pwffian chwerthin.

Stwffiodd Carwyn ei jipsen lipa olaf i'w geg a, rywfodd, cododd gwên heibio i'r lwmp yn ei wddf wrth i'r dagrau gwrdd â'r saws tshili ar ei foch.

* * * *

Am yr eildro, gwnaeth Lisa lygaid ar Carwyn. Sylwodd e ddim y tro cyntaf, ond fe wnaeth y tro yma. Llygaid i drio dal ei sylw'n dawel.

'Hei!' meddai'i llygaid.

'Beth sydd?' atebodd ei lygaid yntau.

Amneidiodd hithau tuag at Dafydd, a chodi un ysgwydd i ofyn 'Be sy' matar efo fo?'

Cododd Lisa a mynd i'r gegin, gan amneidio ar Carwyn i'w dilyn. Taflodd yntau olwg o amgylch y swyddfa. Roedd pawb arall i weld yn tip-tap-teipio'n dawel. Arhosodd ychydig, wedyn codi a mynd at Lisa i'r gegin.

'Beth?' gofynnodd.

'Be sy' matar efo Dafydd?' sibrydodd hithau.

'Sai'n gwbod. Oes rhywbeth yn bod ar Dafydd?'

'Oes. Dio'm yn iawn. Ddoth o i mewn ar ôl naw. Dio'm 'di torri gair efo neb ers awr. A dio'm yn neud dim.'

'Ddim yn *neud* dim?' Taflodd Carwyn olwg heibio i'r gornel i weld cefn Dafydd. Eisteddai wrth ei gyfrifiadur a'i ddwylo ar ei bengliniau. Y bwrdd gwaith arferol oedd i'w weld ar y sgrin: llond dwrn o eiconau bach ar gefndir o awyr las a logo'r Bwrdd. Codai ysgwyddau Dafydd yn araf, a disgyn, heb i'w ben na'i wallt brith, tonnog, symud dim. Roedd ei siwmper nefi wedi'i thaenu'n daclus dros gefn ei gadair fel arfer, a'i gês bach gwaith wrth ei draed dan y ddesg.

'Gynigia i baned i bawb 'wan, i weld be ddudith o.'

Cododd Carwyn ei fawd a dychwelyd at ei ddesg.

'Paned, rhywun?' galwodd Lisa'n fywiog gan roi hop a naid i'r ystafell o'r gegin.

'Te plis,' meddai Carwyn, gan chwarae ei ran. A bu'n rownd boblogaidd. Ond ni thorrodd Dafydd yr un gair. Sylwodd Carwyn arno'n troi ei ben i edrych ar ei ffôn am eiliad, cyn troi'n ôl at logo'r Bwrdd a'r awyr las.

'Panad, Dafydd?' gofynnodd Lisa eto, gan fynd i sefyll wrth ei ochr a rhoi ei llaw ar y siwmper nefi. Trodd yntau gan edrych arni fel petai drychiolaeth newydd ymddangos wrth ei ochr.

'Na.' Pesychodd. 'Na, dim diolch.' A throdd yn ôl at ei sgrin a chlicio i agor ei e-byst.

Arhosodd Lisa yno'n edrych arno, cyn troi at Carwyn. 'Dwed di rywbeth,' meddai'i llygaid.

Cododd Carwyn ei aeliau. Nid dyma ei gryfder. Tynnodd anadl ddofn a mynd amdani. 'Ody... ody popeth yn iawn, Dafydd?'

Trodd i edrych ar Carwyn. Roedd yn ddrychiolaeth arall iddo, ac roedd yr ofn yn amlycach. Roedd ei lygaid yn ddwfn yn ei ben, ac edrychai ddeng mlynedd yn hŷn dros nos, meddyliodd Carwyn.

'Chi'n ok, Dafydd?'

Fflachiodd Dafydd ei lygaid o'r naill i'r llall yn yr ystafell. Ceridwen, James, Caren, ac yn ôl at Carwyn. Roedd pawb wedi codi'u pennau erbyn hyn. Symudodd ei wefusau, ond ni ddaeth yr un sŵn heibio iddynt. Rhoddodd Lisa ei llaw ar ei ysgwydd.

'Fe wna i baned i chi, Dafydd.'

'Symoi'n deall,' meddai Dafydd, gan ddod o hyd i'w lais o ddyfnder ei Clarks duon. Rhwbiodd Lisa ei ysgwydd.

'Wedd y caserol sosej yn y ffwrn. Pigo mas i Tesco Metro i hôl parsli wnes i.' Edrychodd i fyny at Lisa, fel petai newydd esbonio'r cwbl. Edrychodd Lisa arno'n raslon.

'Wedyn be, Dafydd?'

'Wel, pan ddes i 'nôl wedd hi yn ei chot wrth y drws. A medde hi ei bod hi'n mynd.' Rhythai Dafydd yn ddwfn i lygaid Lisa erbyn hyn. Yn sydyn, roedd wedi colli hanner canrif, ac roedd e'n rhocyn bach pump oed unwaith eto.

'O, Dafydd!' meddai Lisa gan barhau i rwbio'i ysgwydd yn ysgafn. 'Mi fydd popeth yn iawn, gewch chi weld.'

'Mae pob pâr yn cael eu hanawsterau,' cynigiodd Carwyn. 'Pawb yn cwmpo mas weithiau.'

'Wên ni ddim wedi cwmpo mas. Symo i'n credu inni gwmpo mas erioed.'

'Rhyw bwl ma hi'n cael. Fe ddaw hi rownd, gewch chi weld. Falle fydd hi yn tŷ pan fyddwch chi gartre heno.'

'Na,' meddai Dafydd yn bwyllog a digynnwrf. 'Fe gododd hi ei bag, a dweud ei bod hi isie fi mas erbyn fory. Heddi. A wedyn bant â hi.'

'Sdim rhaid i *chi* symud mas, nag oes? Os yw *hi* isie cyfnod ar wahân.'

'Tŷ Veronica yw e. Ar ôl ei rhieni. Ac rwy wedi dod â 'mhyjamas a 'mhethe 'molch gyda fi.' Edrychodd i lawr ar ei gês bach gwaith.

'Dio'm ots am hynny rŵan,' meddai Lisa. 'Sortiwn ni rwbath. Mi af i i wneud panad gref ichi, a digon o siwgr.'

'Ac mae'r caserol sosej dal fanna ar y wyrctop. O leia bydd rhywbeth deche 'na iddi fyta os daw hi getre heddi.'

A daeth holl staff Llawr 2 Dwyrain â'u cadeiriau draw yn gylch o'i amgylch, pob un â gair o gysur, gwên o gonsýrn, neu law gynnes ar lawes. Gallai fynd at ei chwaer a'i gŵr ym Mhontypridd am noson neu ddwy, meddai Dafydd, er y byddai dan draed yno, yn cysgu ar y soffa, a hwythau â thri o blant. Ond mynnodd Carwyn nad oedd hynny'n ddigon da. Câi ddod i aros yn ei dŷ fe am faint a fynnai hyd nes i bopeth gael ei sortio. Teimlai Carwyn yn hapus i allu gwneud rhywbeth ymarferol i helpu. Roedd yn haws ganddo hynny na siarad. A châi goginio iddo. Pei cyw iâr a ham, meddyliodd, mewn saws hufennog. A thato potsh a phys. Pryd cartrefol, twymgalon.

'A bydd yn rhaid i ni i gyd fynd mas am beint ar ôl gwaith heno, yn gefen i Dafydd,' cododd Carwyn stêm. 'Pwy sy'n gêm?'

★ ★ ★ ★

Er mai ers deng munud yn unig y dychwelodd Carwyn at ei ddesg ar ôl bod am ginio, am ddau o'r gloch cododd eto a mynd i'r ystafell gyfarfod i sgeipio. Roedd gan Laticia ddiwrnod yn rhydd o'r coleg heddiw, ac roedd amser yr alwad sgeip wedi'i threfnu. Atebodd Laticia'n brydlon, a chawsant sgwrs am sefyllfa Dafydd, druan. Esboniodd Carwyn ei fod am osod y *futon* yn ystafell wely Alaw, er mwyn iddo gael aros am ychydig ddiwrnodau.

Roedd Laticia'n ddigon balch, mewn ffordd ryfedd. Bu'n poeni'n ddiweddar bod Carwyn yn unig. Roedd yn siŵr ei fod yn mynd am sawl peint bob nos, ac roedd heb dderbyn llawer o luniau o'i brydau dros yr wythnos ddiwethaf, fel y byddai'n disgwyl. Efallai y byddai'n fwy parod i dreulio amser yn y tŷ, ac yn coginio, gyda Dafydd yno'n gwmni.

'Dere, Alaw. Ven aquí. Edrych, ma Dadi eisiau siarad gyda ti!'

Trodd Laticia'r iPad at gadair freichiau lydan wen, ac yno'r eisteddai Alaw yn jicôs, heb gymryd sylw o'i mam. Roedd wedi'i llyncu gan ryw gartŵn swnllyd. Tynnodd Carwyn ei hun ymlaen yn sydyn i eistedd ar flaen ei gadair, gan bwyso ymlaen a gwenu, fel petai yno yn fflat Clara.

'Haia Alaw!' galwodd â gwên, a chlywodd sŵn y cartŵn yn diflannu. Ar ôl eiliadau o syndod, trodd Alaw ei llygaid mawr at sgrin yr iPad yn llaw ei mam.

'Dadi!' meddai, gan chwerthin yn uchel a chydio yn yr iPad.

'Ti'n cael diwrnod da gartre gyda Mamá?'

Chwarddodd Alaw eto, a phwyntio i gyfeiriad y gegin.

'Beth gest ti i ginio, Alaw? Rhywbeth neis?'

'Dwed be gest ti i ginio, Alaw. ¿Que comiste?' Clywodd Carwyn lais Laticia yn ei hysgogi o'r gegin.

'O!' ebychodd Alaw, gan roi'r gorau i'r pwl o chwerthin ar beth bynnag a'i gogleisiodd, a thynnu'r teclyn yn dynn at ei hwyneb hyd nes bod dwy ogof dywyll ei ffroenau'n llenwi sgrin ffôn ei thad.

'Pollo, moron… arroz,' meddai'n bendant.

'Neis iawn, Alaw. Wnest ti ei fwyta fe i gyd, bop-bop?'

'Bop-bop!'

A chyn i Carwyn gael cyfle i'w llongyfarch yn wresog, llithrodd wyneb Alaw'n glir o'r sgrin, gan adael Carwyn yn rhythu'n llonydd ar nenfwd y fflat.

'Ble wyt ti, Alaw? Alaw, dere 'ma i Dadi gael dy weld di.' Dim. 'A-LAW!'

Eisteddodd am sawl munud wedyn, yn gwrando ar ymbalfalu, sgrech fer, pentwr o rywbeth yn disgyn, chwarddiad. Ac yn y cysgodion a symudai ar frys ar hyd y nenfwd, gallai dyngu iddo weld ffurf Jeffri Jiráff yn hedfan ar gefn ysgub.

★ ★ ★ ★

Oedd, roedd James yn sicr yn cysgu. Roedd y pentwr o drugareddau – beiros, gwefrydd ffôn, cannwyll, corcyn, minlliw, cactws – a oedd wedi'u gosod yn addurniadau pert dros ei ben a'i ysgwyddau yn tystio i'r ffaith wyddonol hon. Dychwelodd Lisa o'r ystafell gefn ac roedd geiriadur Bruce yn ei llaw. Ysgydwodd ysgwyddau Carwyn wrth iddo ddal ei fol mewn ymdrech i beidio â chwerthin yn uchel. Er, fyddai James heb glywed dim o'r chwerthin, gan fod Alys a Candelas yn dal i weld cysgodion yn y nos drwy'r tŷ.

'Dy dro di,' meddai Lisa, gan basio'r fricsen drom o eiriadur i Carwyn.

Cymerodd Carwyn y llyfr, a phwyso i mewn at James yn bwyllog ofalus, fel petai'n chwaraewr Buckaroo proffesiynol yn rownd derfynol y cwpan. Disgleiriai'r defnyn o chwys ar ei dalcen dan straen y canolbwyntio. Roedd ongl brest James ryw ddeugain gradd i'r fertigol. Amcangyfrifodd Carwyn fod hynny'r mymryn lleiaf yn brin o fod yn ddigonol i gadw Bruce yn ei le. Efallai y byddai botwm crys yn ddigon, meddyliodd. Gosododd y geiriadur mor ysgafn â phosib ar frest yr asyn, gan glipio gwefus isaf y clawr cefn o dan fotwm ei grys. Tynnodd un llaw i ffwrdd, ac wedyn y llall. A chamodd yn ôl yn gyflym. Llwyddiant!

'Ha haaa!' chwarddodd Lisa.

'Sshhhh! Paid! Hei, lle ma fy ffôn i?' sibrydodd Carwyn,

cyn codi ei ffôn o'r bwrdd coffi. Anelodd, a thynnodd lun â fflach fawr. 'Daw'r llun 'ma'n ddefnyddiol!'

Safodd y ddau yno am dipyn yn mwynhau'r olygfa ryfedd wrth i'r chwerthin dawelu. Doedd dim golwg dihuno ar yr asyn hwn.

'Lle ma Dafydd?' gofynnodd Carwyn.

'Mae o'n golchi llestri.'

'Golchi llestri?! Ond dim ond ei wydryn e sy' 'da fe.'

'Mae o 'di agor 'y mheiriant golchi i, ac wrthi'n llenwi'r sinc â dŵr poeth a swigod i olchi'r llestri o fanno. Pawb at y peth y bo.'

Chwarddodd Carwyn eto. 'Sori, ddylen i ddim chwerthin. Druan.'

Wedi i Yorkie's gau ryw awr ynghynt, penderfynodd y pedwar oedd yn dal yno ddod yn ôl i dŷ Lisa am ddiod cyn noswylio, a hithau wedi esbonio bod Arwel, perchennog y tŷ lle'r oedd hi'n rhentu ystafell, i ffwrdd am yr wythnos. Roedd Dafydd yn ddigon hapus i ddilyn gorchmynion, ac er bod Carwyn yn gwybod y byddai'n difaru pan ganai'r larwm yn y bore, roedd yr ysfa i weld sut le oedd gan Lisa yn ormod iddo. Heb sôn am yr ysfa arferol am un ddiod arall.

'Mi fydda i'n ôl mewn munud.' Ac aeth Lisa i'r cyntedd ac i fyny'r grisiau.

Gwyddai Carwyn fod cân Candelas ar fin dod i ben, felly cydiodd yn y gliniadur a meddwl. Yws Gwynedd,

'Sebona fi'. Bang! Roedd mewn hwyliau da. Ac yn y fflach o ddistawrwydd rhwng y ddwy gân, clywodd Lisa'n sibrwd yn uchel o'r landin.

'Car, tyd yma!'

'Beth?'

'Tyd yma.'

Cychwynnodd y riff sebonllyd ar ei thaith uchel, hapus, a chododd Carwyn gan hanner dawnsio, hanner baglu ei ffordd i'r cyntedd ac i fyny'r grisiau.

'Be ti isie?'

'Wyt ti'n cofio fi'n sôn bod Arwel yn foi preifat iawn? Bob amser yn cadw'i hun iddo'i hun.'

'Ydw, pam?'

'Wel, dwi yma ers cyn Dolig, ond 'mond echdoe, gan fod Arwel i ffwrdd, 'nes i fentro cael cip ar ei lofft o. O, Mam Bach!'

Cydiodd Lisa yn y ddolen a'i throi, a gwthio'r drws ar agor, gan gadw ei llygaid ar Carwyn er mwyn cael mwynhau ei ymateb.

'Sbia!' meddai.

Gwthiodd Carwyn ei ben heibio i'r drws, a chymerodd ychydig i'w lygaid ymgyfarwyddo â'r tywyllwch y tu hwnt i olau llachar y landin. Doedd yr un o'r ddau'n teimlo mai priodol fyddai cynnau'r golau, am ryw reswm, fel petai hynny gam yn rhy bell. Neu efallai fod y tywyllwch yn ychwanegu at yr antur. Wrth i'w lygaid ymgyfarwyddo, daeth ffurfiau mawr i'r golwg ar hyd y wal bellaf. Ac ar bob wal. Camodd i mewn. Roedd pob modfedd o'r pedair wal yn furluniau lliwgar, ffug-Ddadeni. Ffurfiau pobl hanner noeth, mewn pob math o sefyllfaoedd bisâr. Ar yr olwg gyntaf, hawdd fyddai tybio bod elfen rywiol i'r paentiadau. Ond o edrych yn fanylach, na, doedd dim. Roedd yma ddyn canol oed ar gefn ceffyl, ill dau yn gwgu. Dan ganghennau derwen fawr roedd dwy fenyw fronnoeth yn chwarae gwyddbwyll. A draw fan acw roedd dyn a menyw'n dawnsio o gylch dafad mewn cae o flodau gwyllt. Roedd Carwyn yn gegrwth.

'Wooooow.'

'Nyts, dydi!'

Cododd Carwyn ei ben. Roedd y nenfwd yn awyr o las golau a chymylau mawr lled-Ramantaidd, yn wyn a melyn a llwyd a phinc.

'Wooooow.'

'A sbia hwn,' meddai Lisa wedyn, gan fynd draw a phwyso ei dwrn yn drwm ar y gwely. 'Gwely dŵr!'

'Paid â… Wooooow.' Ac eisteddodd Carwyn â'i holl bwysau ar y dwfe hyd nes i'r cyfan donni'n sidan porffor o un gornel i'r llall. Taflodd Lisa ei hun ar y gwely hefyd i ysgwyd Carwyn, a bu'r ddau'n codi a disgyn am y gorau wrth geisio taflu'r llall oddi ar ei echel, gan forio canu a chwerthin i gyfeiliant Yws Gwynedd. 'Ond cofia'r un hen betha sydd yn poeni pawb,' canai'r ddau.

Ac wrth floeddio 'O! Mae bywyd mor bra-af,' neidiodd Carwyn yn uchel cyn taflu ei hun yn ôl i lawr â'i holl nerth. Tasgodd Lisa yn glir oddi ar y gwely, a throi yn yr awyr cyn disgyn yn ôl i lawr ar ei hochr ac ar draws Carwyn. Chwarddodd y ddau. Oedd, roedd bywyd yn braf yn eu gwin ac yn yr olygfa ffantasïol hon. Ond wrth straffaglu i godi o'u cwlwm, cawsant eu hunain ym mreichiau ei gilydd, wyneb yn wyneb, drwyn bron iawn wrth drwyn, rywle rhwng eistedd a gorwedd, a rhewodd popeth. Teimlai'r ddau anadl ei gilydd ar eu bochau. A daeth y golygfeydd a'r cymeriadau yn fyw o'u hamgylch, a hwythau ar gwch bach ar lyn mewn parc Fictoraidd. Chwyrlïai consierto o ffliwtiau a llinynnau yn lle'r gitârs a'r drymiau, a thywynnai'r haul o'r landin dros eu hencil rhyfedd.

'Shit. Mae'n well i fi fynd, siŵr o fod,' meddai Carwyn gan rewi'r paentiadau drachefn. Ond ni symudodd yr un o'r ddau yr un fodfedd.

'Ia, a rhoi Dafydd yn ei wely.'

'Wel, ar ei *futon*.'

Chwarddodd y ddau, a chodi.

'Sori, 'nes i ddim…' meddai Carwyn gan feddwl y dylai ddweud rhywbeth i geisio cau pen y mwdwl.

'Piss off,' chwarddodd Lisa. 'Paid â bod yn wirion.' Ac i ffwrdd â hi tua'r grisiau dan ganu.

Pennod 7

EISTEDDAI CARWYN â'i gês penwythnos ar lawr rhwng ei goesau ac Alaw Abril yn ei gôl. Diflannai adeiladau llydan, gwyn y maes awyr y tu ôl iddo, ac roedd llaw Laticia fel sebon cynnes yn ei law wrth i'r rheilffordd eu hebrwng tua chanol y ddinas. Bwledai'r trên yn ei flaen wrth i'r warysau rhyngwladol araf droi'n flociau uchel gwyn o fflatiau â thoeon coch. Ac yn yr awel annhymhorol o gynnes, dawnsiai'r olch liwgar â balchder ar y leiniau bach o dan y ffenestri.

Roedd yn brynhawn dydd Iau, ac ar wahân i un seminar y bore wedyn, roedd ganddynt benwythnos hir gyda'i gilydd o'u blaenau. Teimlai'r ddau'n swil, a hwythau yng nghwmni ei gilydd am y tro cyntaf ers tair wythnos. Roedden nhw wedi gweld ei gilydd droeon dros Skype, wrth gwrs, ond mae sgrin mor oeraidd, mor ddau ddimensiwn. Efallai'n wir bod llun yn werth mil o eiriau, ond mae gweld yn y cnawd yn werth cymaint mwy na miliwn o bicseli ar sgrin fach y ffôn. Wrth edrych ar wefusau cymar, mae fel petai'r llygad yn gallu gweld y tu hwnt i'r picseli a wêl camera'r ffôn. Gall weld y miliwn o bicseli nesaf rhwng pob picsel, a'r miliwn nesaf rhwng y rheini wedyn, a'r cyfan yn haenau ffractal anfeidrol.

Rhedodd ei fysedd ar hyd cefn llaw Laticia a gwasgodd hithau ei fawd. Roedd wedi gweld ei heisiau, heb os. Y cyffyrddiadau bach â'r bysedd. Ei llygaid tywyll, dwfn. A'i llais meddal-felys ac acennog-gynnes, fel siocled tshili. Doedd Skype byth yn llwyddo i ddarlledu'r rhain drwy'r tonfeddi.

Heneiddiai'r adeiladau'n raddol wrth i'r trên arafu ac agosáu at ben y daith. Hŷn a gwell, meddyliodd Carwyn, er bod darnau o'r plaster melyn Mwraidd yn cracio a disgyn. Ac roedd mwy o fywyd yn y strydoedd. Y barrau bach a'r caffis am yn ail â salonau trin gwallt, stondinau ffrwythau a siopau bagiau llaw. Byddai gofyn iddo brynu sbectol haul yma, meddyliodd Carwyn, ac yntau heb ddychmygu y byddai angen pâr ym mis Chwefror.

'Sut mae Dafydd?' gofynnodd Laticia.

'Yn byw ar bigau'r drain, druan. Mae e a Veronica wedi cwrdd unwaith neu ddwywaith i drafod, ond mae'n dod adre yn fwy dryslyd na phan aeth ati. Ond mae i weld yn setlo'n weddol yn y tŷ. Ac rwy'n credu ei fod e'n dechrau mwynhau cael rhywun yn coginio iddo fe.'

'A ti'n mwynhau cael rhywun i goginio iddo fe, mae'n siŵr!'

'Llawer mwy o hwyl rhannu swper wrth y bwrdd. Be wnawn ni am fwyd heno?'

'Dwi am goginio i ni. A dwi wedi bod i siopa'n barod.'

'Grêt. Oes gwin yn tŷ?'

'Mae ambell botel yno, ond mi o'n i'n meddwl falle byset ti'n hoffi mynd lawr i'r siop win i ddewis potel dy hun.'

'Ro'n i'n gobeithio mai dyna ddwedet ti! Stwff da 'na, a llai na hanner y pris gartre. Ga i wybod be sydd i fwyd, er mwyn dewis gwin?'

'Bwyd môr gyntaf, a chyw iâr wedyn. Cei di wybod cymaint â hynna!' Pefriodd Laticia ei fflach o wên giwt gyfarwydd.

'Dêl.'

Diflannodd yr haul o goets y trên a deffrodd y goleuadau strip ar hyd y nenfwd a'r llawr wrth i'r cerbyd rolio'n araf i mewn i Orsaf Ganolog Valencia. Cydiodd pawb yn reddfol mewn cefn cadair neu bolyn wrth ddisgwyl i wich y brêc ddod â'r trên i stop.

* * * *

Synhwyrodd Carwyn ryw symudiad, a glaniodd cusan ar ei drwyn. Dihunodd yn gwenu, er bod ganddo fymryn o ben tost. Ond cafodd sioc wrth agor ei lygaid a gweld mai wyneb ei ferch oedd yno'n gwenu'n ôl o obennydd Laticia.

'Bore da, 'nghariad fach i!'

'Tostada, Dadi,' atebodd Alaw.

Cododd ei ben i edrych ar y cloc. Deng munud i naw. Roedd Laticia wedi gadael y fflat ers ugain munud felly.

'Fe goda i mewn tipyn bach i wneud tost i ni. Beth am gwtsio fan hyn am bum munud?' awgrymodd Carwyn yn obeithiol. Ac er syndod iddo, ymlaciodd Alaw a dechrau chwarae â'i bys ar hyd patrymau'r pysgod glas ar y dillad gwely. Estynnodd yntau ei fys i ddilyn union lwybr bys Alaw, fodfeddi ar ei hôl, ar y daith drwy'r môr mawr sgwâr.

'Mae Mam-gu a Dad-cu yn holi amdanat ti drwy'r amser. Gweld dy eisiau di'n fawr.'

'Mam-gu'n fishi. Neud cacen.'

'Ody hi, wir?'

'¡Sí! Pen-blwydd Alaw,' meddai fel petai hynny'n gwbl amlwg.

'Wel, wrth gwrs, sdim llawer i fynd,' atebodd Carwyn, gan gyfri yn ei ben bod deufis i fynd eto. 'Fe ddaw rownd whap, a byddwch chi adre yng Nghaerdydd – Mamá a Dadi ac Alaw Abril. A Mam-gu a Dad-cu.'

Aeth Alaw ymlaen i ddilyn siâp y pysgod prysur. Rhoddodd Carwyn ei law yn dyner drwy ei gwallt, a mwynhau teimlo'r cyrliau ysgafn yn llithro drwy ei fysedd. Gwelodd y marcyn bach tywyll uwch ei chlust. Sut gallai fod wedi anghofio am hwnnw?! Roedd yn hen gyfarwydd ag e, wrth gwrs, pan oedd yn fabi. Ond roedd ei gwallt syndod o drwchus wedi ei guddio ers blwyddyn o leiaf.

Pwysodd ati, a rhoi cusan uwch ei chlust. Edrychodd i'w llygaid wedyn. Llygaid ei mam, fel ei gwallt. Ond roedd wedi ei argyhoeddi ei hun, fel y mynnai ei rieni o'r wythnos gyntaf, mai trwyn a gên teulu'r Tymbl oedd ganddi. Ac er bod ei chroen yn olau ar hyn o bryd, rhagwelai mai tywyllu i fod fel ei mam a wnâi mewn dim o dro.

'Tostada, Dadi,' meddai eto, yn fwy awdurdodol y tro hwn.

'Iawn, dere 'mlaen 'te. Tostadas y marmelada para dos, por favor.'

* * * *

'Dos Gin Tonic,' archebodd Laticia, ar ôl llwyddo i ddal llygad y barmon canol oed dros ysgwyddau tri dyn arall a oedd yn aros am wasanaeth.

'Mae 'na bâr yn gadael bwrdd tu fas,' meddai Carwyn, gan frysio yno cyn iddo golli hwnnw eto. Roedd barrau'r ardal hon o'r ddinas yn eithriadol o brysur ar ôl naw o'r gloch ar nos Sadwrn. Byddai Carwyn yn hapusach o gael lle rhyw damaid bach yn dawelach, ond roedd Laticia yn ei helfen. Wrth gwrs, roedd yn adnabod Valencia fel cefn ei llaw. Roedd wedi'i magu yma ac, fel sy'n gyffredin yn Sbaen, wedi astudio yma hefyd. Dywedai ei bod hi'n dal i adnabod nifer o staff y barrau ers ei dyddiau coleg, a hwythau'n dal i'w chofio hithau.

Roedd gan Carwyn rywfaint o grap ar Sbaeneg. Roedd ganddo TGAU yn y pwnc, ac roedd wedi datblygu mwy ar ei eirfa ers dod i adnabod Laticia. Ond er y byddai'n mwynhau cael ymarfer fan hyn wrth archebu, gwyddai y byddai yno am oes pys yn ceisio dal llygad y dynion crysau gwynion, gwalltiau seimllyd, wrth i'r rheini weini eu sylw i'r merched ifanc.

Daeth Laticia i ymuno wrth y bwrdd bach uchel gyda dau wydryn mawr sfferaidd. Roedd blancedi allan dros gefnau'r cadeiriau, gan y byddai eu hangen fel arfer yr adeg hon o'r flwyddyn, ond roedd y rhan fwyaf yn ddigon cynnes yn eu llewys byrion heno. O lampau oren y stryd y deuai'r rhan fwyaf o'r golau, ond taflai'r canhwyllau oleuni sionc dros wynebau a dwylo. Tasgodd fflach o olau i lygad Carwyn oddi ar y diemwnt ar fodrwy ei ddyweddi, a chydiodd yn ei llaw.

Roedd y swildod a deimlasai y prynhawn blaenorol bellach wedi troi'n loÿnnod bach byw. Teimlai'n ifanc, yn grwt deunaw oed ar ddêt. A thyngai fod Laticia'n edrych flynyddoedd yn iau heno hefyd, yn ei chrys melyn ffres, syth o'r lein, a'i chlustdlysau bach yn serennu yn awyr y nos.

'Chwarae teg i dy chwaer,' meddai Carwyn. Roedd Clara wedi gwrthod shifft er mwyn gofalu am Alaw, gan annog y ddau i gael noson allan gyda'i gilydd. 'Ddylen ni gynnig ei thalu?'

'Na, fyddai hi ddim yn hoffi hynna. Awn ni allan â hi am ginio hwyr ddydd Sul.'

'Ble lice hi fynd, ti'n meddwl? Gwell archebu bwrdd?'

'Mesa del Mar yw ei hoff le, ond mae'n ddrud. Lle pysgod, reit ar y traeth.'

'Amdani. Gall rhent Dafydd dalu!'

Cyrhaeddodd un o'r crysau gwynion â rhyw dipyn o dapa. 'Croquetas de rabo...'

'... de toro,' torrodd Carwyn ar ei draws yn awchus, cyn stwffio un i'w geg. 'Gracias,' meddai wedyn wrth gofio ei gwrteisi, a'i geg yn llawn.

''Nes i archebu'r rhain – meddwl y gallwn ni gael tapas fan hyn a fan draw heno, yn lle mynd i un bwyty. Ydi hynna'n ok?'

'¡Estupendo!' atebodd Carwyn.

Chwarddodd Laticia. Gwyddai mai dyna ei hoff air Sbaeneg ers blwyddyn saith.

Ar ôl y ddiod a'r tapa cyntaf, dyma'r pâr yn igam-ogamu law yn llaw o un bar i'r llall i lawr y stryd, gan gymryd coctel fan hyn a gwin fan draw, a chalamari ac olewydd a chorgimychiaid a ham serrano mor denau fel bod modd gweld eu bysedd drwyddo. Caneuon pop Ewro-gawslyd a ddisgleiriai o ffenestri agored llawer o farrau; roc caled a refiai drwy furiau un dafarn lle crogai beiciau modur o'r nenfwd; a cherddoriaeth fyw wedyn a lifai fel Rioja o'u lle olaf y noson honno, yn gitâr, bas dwbl a chlarinét, a llais dwfn, myglyd y gantores ar ei chadair uchel a gydiai yn y meic fel pe bai'n cydio yn llaw cymar ar wely angau.

Roedd y cyfan mor fyw, mor befriog real. Teimlai hynny'n rhyfedd, ac yntau oddi cartref. Meddyliodd yn sydyn am Dafydd ar ei ben ei hun yn y tŷ yn Grangetown. 'Sgwn i beth oedd ei swper heno? A chafodd fflach o atgof wedyn o'r noson hwyr honno yn nhŷ Lisa ryw bythefnos yn ôl, ond ni theimlodd unrhyw emosiwn ynglŷn â hynny. Oedd, roedd wedi teimlo'n euog am ychydig ddiwrnodau. Ond wedyn, doedd dim wedi digwydd. Roedd wedi ei gael ei hun mewn sefyllfa lle gallai rhywbeth fod wedi digwydd, ond wnaeth e ddim byd. A wnaeth Lisa ddim byd. Felly dyna ni, doedd dim i deimlo'n euog amdano. Ac roedd hynny oll yn teimlo mor bell a ffug y funud hon, mor WKD Blue a Scampi Fries o'i gymharu â'r danteithion coeth oedd ganddo fan hyn heno.

Dau bupur de Padrón oedd ar ôl. Cydiodd yn un a'i estyn i Laticia, a chymerodd y llall ei hun. Pwysodd yn ôl a chau ei lygaid gyda'i fraich am ei hysgwyddau, a'i bysedd hithau'n cadw'r curiad ar ei ben-glin.

'¡Laticia! ¿Cómo estás?' Daeth menyw ifanc, iau na nhw, at eu bwrdd yn wên a gwallt a phersawr i gyd.

'Mariana! Great to see you! This is my fiancé, Carwyn.'

Ac aed ymlaen â'r cyflwyniadau a'r cyfarchion arferol yn Saesneg, cyn i'r sgwrs droi'n naturiol i'r Sbaeneg pan ddechreuodd y ddwy hel atgofion am ddyddiau coleg. Rhoddodd Carwyn gynnig ar rywfaint o'i Sbaeneg, a cheisio dilyn trywydd y sgwrs, ond yr amser yma o'r nos ac ar ôl cymaint o ddiod, roedd ei grap ar y Saesneg, heb sôn am Sbaeneg, yn llithro. Caeodd ei lygaid drachefn, ac ymgolli yng ngramadeg y bas dwbl a'r clarinét.

Pennod 8

ROEDD TREFN FOREOL wedi'i ffurfio erbyn hyn yn 8 Stryd Cynon, er na chafodd y drefn ei thrafod o gwbl. Pan fyddai Carwyn yn clywed Dafydd yn mynd i lawr y grisiau, dyna pryd byddai e'n codi ac yn mynd i'r ystafell ymolchi. Ac erbyn iddo ddod mas ar ôl ei gawod hir, byddai Dafydd fel arfer wedi gadael y tŷ ac ar ei ffordd i'r swyddfa. Ni pharodd ymdrech Carwyn i gyrraedd y gwaith erbyn wyth bob bore yn hir. Prin y byddai'n llwyddo i gyrraedd ei ddesg cyn hanner awr wedi naw. Ac felly roedd ar y droed ôl ym mrwydr yr oriau hyblyg erbyn hyn.

Daeth i lawr y grisiau gan ddylyfu gên, a chydiodd yn y post oddi ar y silff. Mae'n rhaid bod Dafydd wedi eu codi. Byseddodd drwyddynt wrth fynd i'r gegin a chynnau'r tegell. Dau lythyr sgrwtsh, un gyfriflen banc, ac un amlen swyddogol yr olwg wedi'i chyfeirio at Laticia Martínez. Gwnaeth ei baned a llwytho'r tostiwr. Edrychodd eto ar yr amlen swyddogol. Roedd wedi arfer agor post Laticia dros y mis a hanner diwethaf, felly ni theimlai na ddylai agor yr amlen hon. Ond roedd ei reddf yn ei atal rhag gwneud. Neidiodd y tost a thaenodd fenyn a marmalêd, ond roedd ei lygaid ar yr amlen. Cymerodd frathiad, ac aeth ati i'w hagor.

Logo ac enw'r Swyddfa Gartref. *Dear Ms Martínez...*

Ac eisteddodd Carwyn i ddarllen. Cafodd drafferth llyncu, a rhoddodd weddill y tost yn ôl ar y plât.

Byddai ei chyfnod fel myfyrwraig gofrestredig yn dod i ben ar ddiwrnod olaf mis Awst, meddai'r llythyr. Ac ar ôl hynny, mewnfudwraig heb statws swyddogol yn y Deyrnas Unedig fyddai hi. Golygai hynny, meddai'r llythyr yn oer ac awdurdodol, y byddai gofyn iddi adael y wlad o fewn tair wythnos wedi iddi orffen ei chwrs, oni bai y gallai ddangos ei bod yn weithwraig â sgiliau mewn swydd gyda chyflog o dros hanner can mil y flwyddyn, neu ei bod yn briod ag un o ddinasyddion y Deyrnas Unedig a oedd yn ennill y cyflog hwnnw.

Chwarddodd Carwyn. Chwarddiad tywyll, dwfn. Darllenodd y llythyr unwaith eto o'r cychwyn, ac ni chwarddodd yr eilwaith. Teimlai'r hedyn o ddicter a fu yn ei stumog ynghylch Brexit ers y refferendwm yn egino. A thyfodd yr hedyn ar ras yn ystod y trydydd a'r pedwerydd darlleniad, hyd nes i'r gwreiddiau a'r brigau dorri'n chwys oer dros ei groen. Neidiodd ar ei draed.

'Y bastads! Y blydi bastads! Pwy yffarn ma nhw'n meddwl y'n nhw?'

Cydiodd yn ei baned a'i tharo i lawr ar y bwrdd

drachefn. Hanner can mil? O, ie, iawn os ydych chi mewn swydd weddol dda yn Llundain. Cyflog digon cyffredin yn y cylchoedd hynny, mae'n siŵr. Ond faint sy'n ennill dros hanner can mil yng Nghymru?

'A be ydw i yn y Bwrdd felly? Gweithiwr heb sgiliau? Man a man tasen i mas yn y caeau yn casglu cwrens ffycin duon!'

Eisteddodd i ddarllen y llythyr byr am y pumed tro, ac yfed ei de. Roedd ei gynddaredd ynglŷn â haerllugrwydd y llythyr yn pylu fymryn nawr, a'r cwestiwn o ymarferoldeb yn codi. Beth mae hyn yn ei olygu? Dim ond y cyfarwyddwyr a'r Prif Weithredwr oedd ar gyflog felly yn y Bwrdd – sawl rheng yn uwch nag ef – felly doedd dim pwynt meddwl am drio cael dyrchafiad i fand priodol. A doedd dim pwynt dechrau dychmygu y gallai Laticia gael swydd ar gyflog o hanner can mil yn syth ar ôl gorffen ei chwrs. Onid oes gan bob Twm, Dic a Harri radd Meistr y dyddiau yma?

Cododd, a chydio yn ei ffôn. Roedd yn rhaid iddo ffonio Laticia ar unwaith. Roedd hithau lawer yn gallach nag e mewn sefyllfaoedd fel hyn. Sgwrs a chwtsh fyddai'n ddelfrydol, ond byddai'n rhaid i Skype neu alwad arferol wneud y tro. Byddai yntau a'i rieni'n hedfan i Valencia ymhen deuddydd ac roedd yn well torri'r newyddion i Laticia nawr yn hytrach nag yng nghwmni ei rieni. Duw a ŵyr, fe fyddai'n cael trafferth peidio â tharo ei dad i ben draw Iberia. Blydi Brexit!

Tapiodd y rhif cyfrin i'r ffôn, a phwyso eicon yr awyren fach, wedi i'r ffôn fod ar *flight mode* dros nos. Daeth ffrwd o negeseuon i'r sgrin. Pedair galwad wedi'u colli, a dwy neges destun. Oddi wrth ei fam. Shit.

'*Dad yn dost. Poenau mawr. Ambiwlans ar ei ffordd.*'

'*Yn yr ambiwlans. Plis plis ffonia. Glangwili.*'

'Ffyc, ffyc ffyc!'

Gollyngodd y llythyr ar y bwrdd, a ffonio ei fam. Ni chafodd ateb, a daeth â'r alwad i ben wrth i lais y peiriant ateb gychwyn. Rhoddodd un cynnig arall arni, ond heb lwc. Anfonodd neges yn ôl.

'*Am yrru'n syth i Glangwili. Yno cyn 10.*'

Brasgamodd i fyny'r grisiau ac anfon dwy neges fer arall – un i Laticia ac un i Eirwen ei reolwr llinell. Tair munud a hanner yn ddiweddarach, roedd tin y car yn sgrialu o Stryd Cynon, a thua Lecwydd. Efallai nad oedd ganddo syniad beth i'w wneud am sefyllfa llythyr y Swyddfa Gartref, ond gwyddai'n union beth i'w wneud am sefyllfa ei rieni. Ac yntau'n unig blentyn, roedd yn rhaid iddo fod yno. I'w fam yn gymaint ag i'w dad. Ac er cymaint yr ysai am gledr gynnes Laticia ar gefn ei law ar y gerstic wrth i'r pìn groesi'r naw deg ar hyd yr M4 i'r gorllewin, teimlai ei fod mewn rheolaeth.

* * * *

Ni welodd Carwyn erioed gymaint o ofn ar wyneb ei fam ryw chwarter awr ynghynt pan ddaeth o hyd iddi mewn ystafell aros fach breifat. Rhoddodd ei freichiau o amgylch ei hysgwyddau a dechreuodd hithau lefain fel petai'r byd ar ben, ei phen ar ei frest a'i chorff yn ysgwyd drwyddo. Erbyn hyn, roedd presenoldeb Carwyn a'i eiriau o gysur wedi llwyddo i'w thawelu. Teimlai Carwyn mai rhaffu ystrydebau a wnaeth, ei fod yn y dwylo gorau a chyfri bendithion ac ati, heb lwyddo i'w argyhoeddi ei hun, ond o leiaf roedd i'w weld wedi lleddfu rywfaint ar ofnau ei fam am y tro.

Eisteddai'r ddau â phaneidiau di-flas mewn cwpanau plastig llwyd yn eu llaw. O'u cwmpas roedd posteri hen ffasiwn yr olwg yn cynnig cyngor ar fwyta'n iach a rhoi'r gorau i ysmygu, a thaflenni am bob math o gyflyrau'r galon wedi'u cyfieithu'n chwithig. Yn y gornel roedd bocs o deganau ac ar fwrdd isel y tu ôl i'r bocs roedd model i blant o anatomi'r galon, i'w dynnu'n ddarnau a'i roi'n ôl at ei gilydd. Braidd yn ddi-chwaeth, meddyliodd Carwyn.

'Carto'r slabs newydd 'nôl i'r cefen oedd e. Ro'dd y cwmni wedi dod a'u gwllwn nhw ar y dreif peth cynta bore 'ma, cyn i ni godi. Wedes i wrtho fe am 'u gadael nhw nes y delet ti draw nesa. Ond ti'n nabod dy dad. Jiw, na, roedd yn rhaid iddo fe fynd mas yn syth i'w symud nhw. Heb doc o dost hyd yn oed. Cwarter awr fuodd e, a'r peth nesa co fe'n dod miwn drwy ddrws y bac, fel y galchen, yn gweiddi 'Margaret!' mewn poen a dala'i fraich ar hyd ei frest. A golapsodd e fan 'ny ar lawr y gegin fach.'

Dyma'r trydydd tro iddi adrodd y darn hwn o'r hanes, ond gwyddai Carwyn mai dyma un o ffyrdd ei fam o ymdopi mewn sefyllfaoedd anodd – siarad drwy'r cyfan drosodd a thro. Felly, gwrando wnaeth e, gan ysgwyd ei ben a thynnu anadl sydyn yn y mannau iawn.

'Fydden i wedi gallu dod draw ar ôl gwaith heno i helpu gyda'r slabs.'

'Wy'n gwbod, 'na beth wedes i wrth dy dad. Ond o na, roedd e'n iawn! Doedd dim isie tynnu Carwyn yr holl ffordd o Gaerdydd, medde fe.'

'Sori nad o'n i 'ma.'

'Paid â bod yn sili, 'achan. Doeddet ti ddim i wbod. Wyt ti wedi gweud wrth Laticia?'

'Hales i neges, ond wneith hi ddim edrych ar 'i ffôn tan amser cinio, mwy na thebyg. Seminarau drwy'r bore heddi.'

'A beth am y gwaith?'

'Paid â becso. Bydd y gwaith yn iawn. Hales i neges at Eirwen, ac fe ges i ateb yn syth yn dweud wrtha i am anghofio am y gwaith a dymuno'r gorau.' Dyna un peth i'w ddweud am Fwrdd Comisiynu'r Gymraeg, meddyliodd Carwyn – roedden nhw'n deg iawn â'u staff mewn sefyllfaoedd fel hyn.

Daeth dwy gnoc ar y drws cyn iddo agor a daeth

meddyg i mewn yn araf. Dyn ifanc, smart. Flwyddyn neu ddwy ar y mwyaf yn hŷn na Carwyn, ond â doethineb flynyddoedd yn hŷn yn ei wyneb llydan, brycheulyd. Neidiodd y ddau ar eu traed.

'Bore da, Mrs Thomas.'

'Shwt mae e? Beth sy'n digwydd?'

'Dr Arwel Jones,' meddai'r meddyg, gan ysgwyd ei llaw cyn troi at Carwyn. 'A'r mab?'

'Ie, shw'mae, Doctor, Carwyn Thomas.'

'Eisteddwch, dyna ni.' Synnai Carwyn sut gallai llawer o feddygon ymddangos mor ddigynnwrf yn wyneb straen ac argyfwng. Ac er mor rhwystredig oedd gorfod aros yr ychydig eiliadau hyn yn hwy i glywed y newydd, parchai allu'r meddyg, â'i natur hamddenol, i dawelu nerfau.

'Mae Mr Thomas yn weddol bach erbyn hyn. Mae'r poenau wedi lleddfu. Ry'n ni wedi gwneud rhai profion cychwynnol, ac fe fyddwch chi'n falch i glywed nad wedi cael trawiad ar y galon mae e.'

'O, diolch i'r nefoedd!' meddai Margaret, gan golli ambell ddeigryn o ryddhad.

'Mae e mewn cyflwr sefydlog, ond fe fydd yn rhaid i ni gadw llygad arno fe, a monitro'r galon dros y diwrnodau nesa.'

Ystyriodd Carwyn sôn am y daith i Valencia ymhen deuddydd, a phenderfynu peidio.

'Gawn ni fynd mewn i'w weld e?' gofynnodd yn lle hynny.

'Cewch, wrth gwrs. Mae'n go wan ar y funud, ond ma hynny i'w ddisgwyl.'

'Ody e'n mynd i fod yn iawn?' gofynnodd Margaret.

'Rwy'n go siŵr y bydd e,' atebodd Dr Jones â gwên gysurlon. 'Arhoswch ryw bum munud nes bod y nyrs wedi gorffen, wedyn fe fydd e'n hapus i'ch gweld chi.'

''Na ti, t'weld, Mam, fe ddwedes i y bydde popeth yn iawn,' meddai Carwyn wedi i'r meddyg adael, er y gallai Margaret weld y rhyddhad ar wyneb ei mab. Ac roedd y rhyddhad a deimlai Carwyn gymaint dros ei fam ag ydoedd dros ei dad ac ef ei hunan. Gwyddai mor agos oedd y ddau, a chymaint o golled fyddai colli'r naill i'r llall. Cydiodd Carwyn yn ei fam a'i gwasgu'n dynn, ac wrth gau ei lygaid gwelai wyneb Laticia yn ei feddwl.

Dechreuodd Margaret lefain drachefn. 'Ro'n i'n meddwl 'mod i wedi'i golli fe,' beichiodd o ddyfnder ei hysgyfaint.

* * * *

Roedd nos Wener fel arfer yn brysur yn y Clwb, ond roedd hi'n brysurach na'r arfer heno a gêm y Scarlets newydd ddod i ben. Chwarter awr o'r gêm oedd yn weddill pan gyrhaeddodd Carwyn ac eistedd wrth ymyl Cynwal. Gwyddai nad oedd pwynt cychwyn sgwrs gydag e am ddim heblaw rygbi pan fyddai gêm y Scarlets neu Gymru ar y teledu, felly'r sgrymio, y cais cosb a'r cerdyn melyn bondigrybwyll fu'r unig bynciau dan sylw hyd y chwiban olaf.

Ac wedi i Carwyn brynu bobo beint iddyn nhw, trodd y sgwrs oddi wrth y cae.

'Getre am y penwythnos wyt ti?'

'Dad sy'n yr ysbyty. Gafodd e fynd mewn ambiwlans bore ddo'.'

'Yffach gols! Ody e'n iawn?'

'Maen nhw am ei gadw fe miwn am rai diwrnode i gadw llygad ar ei galon. Ond fe ddyle fe gael dod getre wedyn.'

'Pwl ar ei galon gafodd e?'

'Rhybudd, medde'r doctor. A rhybudd iddo fe edrych ar ôl ei hunan yn well.'

'Fe ddyle fe fod yn ddiolchgar – nid pawb sy'n cael rhybudd. Gwmpodd 'y nhad yn farw felna,' meddai Cynwal, gan daro cledr ei law ar y bwrdd. 'Ar y pafin tu fas fan hyn. Pum pacyn o jips dan 'i gesel.'

'Cofio clywed yr hanes,' atebodd Carwyn, gan geisio peidio ag ymateb i ffordd ogleisiol Cynwal o'i adrodd.

'Symud slabs oedd e, bore ddo'. Bydde'n well tase fe wedi aros nes 'mod i'n dod draw.'

'Doedden nhw ddim i fod i fynd i Sbaen cyn bo hir, dwed, i weld Laticia a'r groten fach?'

Esboniodd Carwyn eu bod nhw'u tri i fod i hedfan i Valencia y bore wedyn, ond roedd y trefniadau hynny wedi mynd ar chwâl. Roedd ei fam wedi cynnig y gallai Carwyn fynd beth bynnag, er mwyn cael bod gyda Laticia ac Alaw. Ond na, teimlai Carwyn ddyletswydd i fod yma yn Sir Gâr, er cymaint yr oedd wedi edrych ymlaen at gael mynd a chymaint yr ysai i gael cwtshys mawr 'da'r ddwy. A chwarae teg i'r Bwrdd am gynnig iddo gael gweithio o'r swyddfa yng Nghaerfyrddin am ychydig ddiwrnodau, nes bod ei dad rywfaint yn well.

'Cofia fi atyn nhw. A gwed wrth dy dad 'mod i'n gweud wrtho fe – llai o jips!'

'Peidiwch poeni, ma Mam wedi bod yn chwilio am ryseitiau iach yn barod. Druan – cawl moron a salad ffowlyn fydd hi nawr bob dydd.'

Ceisiai Carwyn gadw'r hwyl wrth sgwrsio, er ei fod yn teimlo ar bigau'r drain.

Gyda'r dadansoddi o'r stiwdio ar ben trodd Dai'r teledu draw i sianel gerddoriaeth, a chododd dau yfwr a mynd i daflu dartiau.

'Sdim golwg o Leighton heno?' gofynnodd Carwyn wrth weld y golau llachar uwch y bwrdd dartiau'n cychwyn ar ei shifft hwyr.

'Wel, ma pethe am fod yn dynn arno fe nawr,' meddai Cynwal gan rwbio'r hen friw ar ei fraich.

'Pam 'ny?'

'So ti 'di clywed? Ma fe 'di colli'i waith. Un o'r ddau gant sydd wedi'i chael hi lawr yn ffatri Marreks.'

Wrth gwrs, roedd Carwyn wedi darllen am gyhoeddiad y diswyddiadau yn y ffatri. Cwmni gwneud rhannau ceir ydyn nhw, ac roedden nhw wedi penderfynu symud y rhan fwyaf o'r gwaith i'w ffatri newydd yn Lithwania, er mwyn cael aros yn y Farchnad Sengl. Ond wyddai e ddim mai ym Marreks roedd Leighton yn gweithio.

'A dyna ni, mae e ar y dôl?' gofynnodd Carwyn.

'Wythnos ar ôl 'da fe.'

'O, grêt,' meddai Carwyn gan roi'r gorau i geisio cynnal yr hwyl. 'Diolch yn fawr, Brexit,' poerodd.

Cododd Cynwal ei beint a chymryd llwnc yn araf, gan gadw ei lygaid ar yr ewyn.

'Diawl o beth fydd i Leighton drial magu teulu yn Gymraeg heb arian i brynu bwyd iddyn nhw,' meddai Carwyn.

Roedd y diawl wedi'i ddihuno ynddo erbyn hyn.

'Paid nawr, Carwyn. Mae'n amser anodd.'

'Ody wir, a co beth oeddech chi isie, on'd ife? Mas o Ewrop. Mas o'r farchnad. Cael stwffio'r system neo-ryddfrydol. Ie, iawn, grêt. A beth mae'r gweithwyr i fod i wneud nawr?'

'Codi! Gyda'n gilydd!' meddai Cynwal.

'So ni'n byw yn yr wythdegau, Cynwal. Mae'r swyddi'n

diflannu. Sdim pwynt protestio am swyddi sydd wedi diflannu – rhy hwyr codi paish ar ôl pisho!'

'Sdim isie i ti bregethu wrtho i am golli swyddi, bachan!' Trawodd Cynwal ei fys yn gadarn ar y bwrdd, ond clywai dinc o amheuaeth yn ei lais ei hun.

'A be wneith Leighton? Codi pac a symud bant i gael gwaith rywle arall? Pa les wneith hynna i'r Gymraeg yn y cwm?'

'Ho! Digon rhwydd i ti siarad, a tithe'n ishte 'nôl yn saff wrth dy ddesg yng Nghaerdydd.'

Teimlai Carwyn ei ddwylo'n crynu. 'O ody! Rhwydd iawn i fi, gyda 'nheulu'n cael ei rwygo oddi wrth ei gilydd achos dy blydi bleidlais di!'

'Pa rwygo teulu? Paid â siarad nonsens, grwt!'

Cododd Carwyn. Cododd ei beint hanner gwag, a'i daro'n ôl ar y bwrdd heb ei yfed. Roedd cynnwys llythyr y Swyddfa Gartref ar flaen ei dafod. Ond trodd, cydiodd yn ei got o gefn ei gadair a cherddodd o'r Clwb heb ddweud gair arall. Trodd i'r chwith i lawr yr hewl fawr ac wedyn i'r dde i'r maes parcio, heb unrhyw gynllun ond dilyn ei drwyn. Ar ben draw'r maes parcio, dringodd dros y gamfa i'r tir diffaith a pharhau i gerdded.

Roedd yn noson grensiog dan draed ar yr hen dip glo, a'r lleuad yn taflu'i golau'n dyner dros y cwm. Roedd y tir yn gymysg o lwch llwyd-ddu a mwd tywyll; fan hyn a fan draw roedd y coed fel gwe cor yn ceisio rhwydo'r bwganod; bonion rhedyn cwsg wedyn, a theiars, ambell garped a sgerbwd car. Ond roedd y talpau mân o lo yn dal i ddisgleirio, gan ganu mawl i'r sêr a'u creodd.

Safodd ac edrych dros y cwm. Dros ei ysgwydd chwith, gwelai oleuadau ystafelloedd cefn tai a siopau hewl fawr y Tymbl, a goleuadau'r stryd yn dringo wedyn i'r Tymbl Uchaf a Llechyfedach y tu ôl iddo. Er na allai weld Pontyberem ei hun, gwelai'r hewl a ddringai'n droellog o'r pentref hwnnw at oleuadau pell Bancffosfelen yn uchel yr ochr arall i'r cwm. I lawr yn isel o'i flaen, Cwm-mawr ac wedyn Dre-fach, ac mae'n rhaid mai Cefneithin a'r Garreg Hollt oedd yn fanna i'r gogledd. A heb os, goleuadau llachar ffatrïoedd Cross Hands a'r hewl ddeuol a welai i lawr i'r gogledd-ddwyrain.

Yr un pentrefi dan yr un sêr fyddai cymaint o'i gyndeidiau wedi'u gweld. Gwyddai ei fod yn cerdded dros yr union bwll lle bu ei dad-cu'n gweithio yn ei ugeiniau cynnar, cyn iddo gau, ugeiniau o fetrau o dan ei draed yng nghroth y ddaear. Yn blentyn, deuai Carwyn yma ambell dro wrth ddilyn ôl troed y bechgyn mwya mentrus. Yn ei arddegau wedyn, heb lawer o ddiddordeb mewn rygbi na phêl-droed, i fan hyn y deuai'n amlach na pheidio, i gerdded, gorwedd, rhegi a smoco, chwarae dêrs a chael ambell snog. A snogo'n Gymraeg, wrth gwrs. Wedi meddwl, ie wir, dim ond yn Gymraeg a Sbaeneg roedd e erioed wedi snogo.

Fuodd e ddim yma ar y tip ers pedair, pum mlynedd, mae'n siŵr. Yn blentyn, gallai'n hawdd ddychmygu'r hen dirlun glofaol – cylch yr olwyn fawr a thrionglau'r tipiau dansierus, y mwg a'r chwys, a'r dynion trwm eu hysgwyddau a sionc eu llygaid yn chwibanu a pheswch. Ac er nad oedd y tirlun wedi newid llawer ers dyddiau dychmygus ei blentyndod – y coed yn dalach efallai – roedd yn ei chael yn anodd gweld yr olygfa honno heno. Haws oedd ganddo ddychmygu'r tirlun dri chan mlynedd yn ôl – defaid mae'n siŵr, porfa a derw a chyll, mwg yn codi o shime ambell fwthyn, a cheffyl cyhyrog yn tynnu aradr drwy'r pridd cleiog – cyn i'r diwydiant glo gydio yn y ddaear a'i rhwygo ar agor, a cherdded oddi yma wedi bodloni ei chwant, heb fecso 'mo'r diawl.

Ai tebyg fydd yr hanes ym Marreks? A beth am ffatrïoedd eraill Llanelli a Cross Hands? A fydd y plant ymhen degawd neu ddau yn cerdded dros dir diffaith yno, yn ceisio dychmygu'r diwydiant, yn smoco a snogo? A fyddan nhw'n dal i snogo'n Gymraeg?

Gwelodd dalp o lo wrth ei droed bron cymaint â'i ddwrn, yn fydysawd pitw, croyw, crai. Plygodd a'i godi, a throdd tua thre.

Pennod 9

DISGYNNODD UN HOSAN i'r llawr wrth i Dafydd wacáu'r peiriant golchi a llwytho'r peiriant sychu. Plygodd i'w chodi, a thaflodd hi i mewn at weddill y dillad glân, gwlyb. Trodd y deial a phwyso'r botwm i danio'r sychwr. O, yffach gols, meddyliodd Carwyn wrth weld Dafydd yn cydio mewn pentwr o dywelion a'u llwytho i'r peiriant golchi.

Roedd gwir angen gwneud golch ar Carwyn, ond dyna ni am awr arall nawr. Trodd y sŵn yn uwch ar y seinydd bach er mwyn trio mwynhau alawon pruddglwyfus Cowbois dros garlam diwydiannol y peiriannau. Agorodd ddrws y ffwrn, a rhoi'r lasagna i mewn. Cymerodd lwnc o'i Barbera, a dechreuodd lwytho'r llestri brwnt i'r peiriant, gan gynnwys y ddwy jar wag o saws coch a saws gwyn. 'Dyw sawsys lasagna o'r jar ddim cystal â sawsys cartref, ond fe wnâi'r tro, meddyliodd, cyn cymryd llwnc. Roedd heb gostrelu'r gwin am na fyddai Dafydd byth yn yfed yn y tŷ, felly gwell cadw'r gwin yn y botel fel y gallai gadw ei hanner tan ryw noson arall.

Diflannodd Dafydd yn ôl i'r llofft. Nawr amdani, meddyliodd Carwyn. Aeth i boced frest ei got ar gefn y gadair, a chydio yn llythyr y Swyddfa Gartref. Diffoddodd y gerddoriaeth, a rhoddodd gynnig ar sgeipio. Er syndod iddo, ymddangosodd wyneb Laticia ymhen eiliadau. Roedd golwg brysur arni – llwy bren yn ei llaw a'i bochau'n goch.

'Haia, pasio'r ffôn i Alaw,' meddai Laticia, ac roedd y ffôn yn llaw Alaw cyn i Carwyn orffen dweud helô.

'Dadi!'

'Alaw Abril! Shwt wyt ti, 'mwtwn bach i?'

'¡Dora está perdida, Dadi!'

'Pwy yw Dora?'

'Dora la Exploradora – ¡Está perdida!'

'Ma Dora ar goll? Ody hi wir?'

'¡Si! ¿Dónde está?' gofynnodd Alaw a'i llygaid yn fawr gan ofid am ei hoff gymeriad anturus.

'Sai'n gwbod wir, Alaw. Ond paid â becso – mae'n siŵr y daw hi i glawr cyn bo hir. Elli di roi'r ffôn i Mamá am funud?'

'Mamá está en la cocina. ¡Espaguetis hoy!' chwarddodd Alaw.

'Sbageti? Dy ffefryn! Ga i siarad gyda Mamá nawr?' gofynnodd Carwyn yn bwyllog, gan drio peidio â theimlo'n drist am yr holl Sbaeneg a sleifiai dros dafod ei ferch.

'¡Mamá!' galwodd Alaw, ac ar hynny cydiodd Laticia yn y ffôn.

'Bwyd yn barod – sori Carwyn – ¡Ven, Alaw! – a chyfarfod yn y brifysgol wedyn. Siarad yn hwyr heno? Neu fory?'

'Ie, ok,' atebodd Carwyn yn bwt. 'Caru ti.'

'Caru ti.'

Blipiodd yr alwad i ben. Plygodd Carwyn y llythyr yn araf a'i roi'n ôl ym mhoced ei got. Cydiodd yn y botel win a llenwodd ei wydr, cyn codi'r botel rhyngddo a'r golau i weld. Roedd eisoes fymryn islaw'r hanner.

* * * *

Roedd Laticia wedi trio ei ffonio'n ôl ddwywaith ar ôl rhoi Alaw yn ei gwely, ond ni chafodd ateb. Daeth neges destun wedyn:

'Mewn cwis. Siarad fory? x'

Felly roedd e'n ôl yn y dafarn eto. Roedd wedi hen arfer â Carwyn yn galw am beint ar y ffordd adre o'r gwaith ambell noson. Ac yn cael gwydraid neu ddau o win gyda'r nos. A hithau'n dueddol o'i ddilyn. Ond roedd yn siŵr ei fod yn yfed hyd yn oed mwy ers iddi fynd i ffwrdd. A doedd dyfodiad Dafydd i'r tŷ ddim i'w weld yn helpu, fel y gobeithiai. Ond efallai mai wedi mynd â Dafydd allan i'r cwis er mwyn codi'i galon roedd e, meddyliodd.

Ond roedd yn fwy na hynny. Ers sawl wythnos, teimlai Laticia fod rhywbeth ar feddwl Carwyn, ond nad oedd eisiau sôn am y peth. Byddai'n ei holi'n aml am y gwaith, a chyflwr ei dad. Efallai nad oedd hi wedi rhoi digon o sylw i effaith salwch ei dad ar Carwyn ei hun. Damia ei fod mor bell, meddyliodd. Allai hi ddim darllen ei wyneb dros sgrin.

Cododd ei ffôn eto, ac anfon neges at Mari.

'Haia Mari. Chi'ch 4 yn iawn? Gwranda, dwi'n poeni chydig am Carwyn. Dwi'n meddwl ei fod yn unig. A ti'n cofio fi'n sôn bod ei dad wedi bod yn dost? Bosib bod hynny'n gwasgu arno. Elli di ofyn i Richard gysylltu gydag e? Cynnig mynd am gêm o golff falle? Jyst i wneud yn siŵr ei fod e'n ok. x'

* * * *

'Ydi dy dad yn dal ar ddeiet llym? Sut mae o'n ymdopi?' gofynnodd Lisa dros ei phaned.

'Mae Mam yn meddwl ei bod hi'n bod yn llym gydag e. Digon o sŵps a salads a phasta. Ond wedyn 'dyw hi ddim yn torri'n ôl o gwbl ar bobi cacennau a tharts o bob math. Os rhywbeth, mae'n hi'n pobi mwy o bethe melys nawr nag erioed.'

'Licio'i dretio fo?'

'Hynny, a therapi iddi hi 'i hunan, weden i.'

'Ac mae'n siŵr dy fod dithau'n mwynhau cael dy dretio yno bob penwythnos.'

'Sdim byd o'i le ar gael dy sbwylo gan dy fam nawr ac yn y man. Hyd yn oed yn dy ugeiniau hwyr.'

Chwarddodd Lisa. A gwenodd Carwyn. Ond teimlai'n drist. Teimlai fel pe bai wedi cymryd sawl cam yn ôl. Doedd ei fywyd nawr ddim yn gwbl annhebyg i'w fywyd fel myfyriwr – yn bwyta gormod o brydau parod a thecawês, yn yfed mwy nag y dylai, yn diawlio blewiach dyn arall ym mhlwg y gawod a'r diffyg trefn o ran gwagio'r bins a phrynu llaeth. A byddai'n aml yn mynd â'i olch adre at ei fam dros y penwythnos. A dyna beth arall – roedd wedi dechrau ystyried Bryn yr Awel yn 'gartre' unwaith eto. Lle i roi ei ben i lawr oedd 8 Stryd Cynon wedi mynd, ac roedd bar y Victoria Vaults yn fwy o lolfa gysurus iddo na'i lolfa wag ei hunan. A'i ddyweddi a'i ferch dros wyth can milltir i ffwrdd ar ben draw galwad Skype doredig. Rhyw gartre toredig ar chwâl oedd ganddo, meddyliai, heb fod unman yn gartre iawn.

Ond o leiaf roedd bellach yn hoff o fod yn y gwaith. Roedd wrth ei fodd â'r tynnu coes a'r cleber a'r hel straeon diniwed, fel erioed, ac roedd ganddo fwy o ddiddordeb yn ei waith erbyn hyn nag ar unrhyw adeg ers cychwyn yn y Bwrdd. Rhwng trefnu a pharatoi at y cyfweliadau, mynd yno i'r coleg neu'r brifysgol, a llunio'r adborth, roedd yr agwedd hon ar ei swydd bellach yn llenwi dau ddiwrnod yr wythnos, ac yn cynyddu. Roedd y diwrnodau hynny felly'n hedfan heibio lawer yn gynt. A dylai gael codiad cyflog cyn hir, meddai Eirwen, pan gâi ei swydd ei hailwerthuso.

Yn anffodus, diwrnod o waith arferol oedd hi heddiw; trio ymateb yn gwrtais, unwaith eto, i'r un swyddog iaith honno a oedd yn mynnu rhannu pob un darn o'i gwaith gyda Carwyn, hyd yn oed pethau nad oedd ganddynt ddim oll i'w wneud â'r Bwrdd; anfon e-bost eto fyth at y swyddog iaith arall hwnnw a oedd yn amlwg yn osgoi ceisiadau Carwyn am gyfarfod; ac roedd y blydi ffurflen dreuliau yn dal heb ei llenwi – tasg a oedd bellach yn cymryd hyd yn oed mwy o'i amser ac yntau'n teithio'n amlach gyda'i waith. Edrychodd ar y cloc bach ar gornel sgrin ei gyfrifiadur. Hanner awr wedi pedwar. Bron yno. Cydiodd yn ei ffôn i decstio Huw. *'Peint am 5?'*

Ac estynnodd am y prit-stic.

* * * *

Er syndod, roedd Huw yn y Victoria Vaults o'i flaen, ac roedd hwyliau da arno'n amlwg.

'Sut mae'r coc oen ei hun?' gofynnodd Huw'n hy ar draws yr ystafell. Gwyddai sut i godi gwên bob amser.

'Paid. A. Gofyn,' atebodd Carwyn, gan ysu i Huw ofyn mwy.

'Deud wrth Yncl Huw. Gwaith? Laticia? Rhieni?'

'Y Swyddfa Gartref.'

'Y Swyddfa Gartref?! Be ddiawl wyt ti 'di neud rŵan?'

'Peint gynta,' meddai Carwyn, wrth gymryd yr SA gan y barmon. 'Thanks, Ken, haven't had a pint since... lunchtime.'

Wedi hynny, credai Ken iddo ddilyn digon o'r sgwrs i ddeall bod tad Carwyn rywfaint yn well, a rhywbeth i'w wneud â salad a bara brith. Ond collodd y llinyn wedyn wrth iddo ddeall y geiriau Brexit a phasbort. Doedd ganddo ddim diddordeb mewn gwleidyddiaeth, felly trodd yn ôl i chwilio am ffrij ail-law ar Facebook.

'A ti heb ddeud wrth Laticia?! Carwyn, mae'n rhaid i ti. Elli di'm cadw hyn rhagddi. Mae hyn yn ddifrifol.' Roedd Huw yn grac.

Gwyddai Carwyn hyn, wrth gwrs, ond bu'n ei dwyllo ei hun wrth anwybyddu'r sefyllfa. Cododd sawl esgus hyd yma – salwch ei dad, presenoldeb Dafydd, gwaith, prysurdeb Laticia a blincin Skype – ond roedd Huw yn iawn. Byddai'n rhaid iddo ddweud. Byddai Laticia ac Alaw yn paratoi i ddod adre ymhen pythefnos. A dyna bythefnos yn llai iddyn nhw feddwl be ddiawl roedden nhw am ei wneud.

'Fe ddweda i wrthi heno.'

'A phriodwch. Cyn gynted â phosib. Dwn i'm llawer am y gyfraith yn y maes yma, ond wneith o'm drwg yn bendant.'

'Ond gymrith hi fisoedd i drefnu priodas yn iawn. Heb sôn am gynilo i dalu am y cyfan.'

'Anghofia am y dillad crand a'r gwesty posh – allwch chi wneud hynny yn eich amser eich hun. Bydd yn rhaid i'r Swyddfa Gofrestru wneud y tro am rŵan. Wir rŵan, Carwyn, cyn gynted â phosib wedi iddi ddod adre.'

'Am ramantus!'

'Ac fe wna i ddêl gwas priodas hanner pris i ti.'

Llwyddodd Huw i godi gwên unwaith eto.

'Sut mae dy fywyd carwriaethol *di'n* mynd?' gofynnodd Carwyn, gan geisio newid trywydd y sgwrs. 'Gest ti ddêt arall gyda'r meddyg 'na?'

Tyngai Carwyn iddo weld Huw yn gwrido wrth gymryd llwnc. Tro cyntaf i bopeth, meddyliodd.

'Elin. Do, sawl un. Waeth i ti ddeud ein bod ni'n canlyn ddim.'

'Chwit-a-chwiw,' ffug-chwibanodd Carwyn, gan daro gwydrau.

'Y peth ydi, mae hi am fod ar leoliad ym Mangor am flwyddyn o fis Mai ymlaen. Ac yn ôl adra yn Arfon ma hi isio bod yn y pen draw.'

'O.' Llithrodd y wên rywfaint o wyneb Carwyn. 'Shit.'

'Na, nid shit. Nid shit o gwbl. Ti'n gwbod be, mi oedd

Caerdydd yn grêt am 'chydig flynyddoedd ar ôl coleg. Ond dwi'm 'di bod yn mwynhau yma ers tro, wrth feddwl am y peth. Gwaith a gwneud pres 'di 'mhetha i 'di bod. A wela i'm llawer o yrfa i mi yn y cwmni rŵan, efo Brexit yn brathu go iawn.'

'Paid dweud dy fod *di* awydd symud yn ôl i'r gogledd hefyd?'

'Mae 'na swydd yn adran y gyfraith yng Nghyngor Gwynedd. Nid fy maes i ond, wel, mi fysa gen i lot o brofiad i'w gynnig iddyn nhw. Ac mi alla i weithio'n Gymraeg.'

'Fe fydde'n doriad cyflog, byddai?'

'Byddai, ond ma gen i rywfaint tu ôl i mi erbyn hyn. A byddai'n swydd ddiogel. Ac yn agos at Elin. Mae'r ffurflen gais bron yn barod i'w hanfon gen i.'

'Yffach. 'Na beth yw tro ar fyd. Huw am setlo lawr!' Pwysodd Carwyn yn ôl yn ei sedd.

'Pawb yn gorfod tyfu lan rywbryd. A man's gotta do...'

'Ie. Bydde gymaint haws tasen i wedi ffeindio Cymraes! Beth *ma* dyn i fod i'w wneud, gwed?'

* * * *

Wrth gerdded adre o'r Vaults, a meddwl am y llythyr, sylweddolodd pam y bu iddo osgoi dweud wrth Laticia, er iddo ryw hanner trio gwneud sawl tro. Wrth rannu'r broblem gyda hi, roedd eisiau gallu cynnig ateb, neu gynnig ryw syniad o'r llwybr i'w ddilyn. Dyna fyddai disgwyl iddo'i wneud, neu o leiaf dyna fyddai'n ei ddisgwyl ohono'i hun. Ond doedd ganddo ddim ateb i'r broblem. Dim cynllun o gwbl. Ac felly bu'n claddu ei ben yn y tywod ers wythnosau.

Roedd Huw bellach wedi agor ei lygaid o'r newydd i ddifrifoldeb y sefyllfa, a mynd yn anoddach fesul wythnos fyddai pethau. Roedd yn rhaid iddo ddweud wrth Laticia, cynllun neu beidio. Ar ôl cyrraedd adre, meddyliodd, byddai'n rhoi'r pitsa yn y ffwrn, yn estyn am y llythyr i'w ddarllen unwaith eto, ac yn mynd i'w ystafell wely i sgeipio.

Newydd ddod i mewn drwy ddrws y tŷ oedd e pan welodd fod Laticia yn trio ei sgeipio fe. Roedd y tŷ'n oer a thywyll, felly mae'n siŵr nad oedd Dafydd adre. Heb feddwl mwy, atebodd, gan eistedd ar y soffa yn ei got a'r pitsa mewn bag Tesco wrth ei ymyl.

'Haia cariad,' meddai.

'Haia Carwyn. Newydd gyrraedd gartre?'

'Ie, wedi bod am beint gyda Huw.'

'Sut mae Huw? Dal i weld y meddyg 'na?'

Sylwodd Carwyn fod Laticia yn eistedd wrth ei desg yn y fflat a bod ffeiliau a phapurach o'i hamgylch. O'r soffa fyddai hi'n sgeipio fel arfer. Ac wrth i'r sgwrs am Huw ac Alaw a hyn a'r llall fynd rhagddi, synhwyrodd Carwyn fod tinc o betruster yn ei llais. Eisteddai'n sgwâr, a chwaraeai â'i beiro gan dynnu'r top a'i roi'n ôl drosodd a thro.

'Gwranda, Carwyn.' Dyma ni, meddyliodd, roedd yn iawn. Roedd rhywbeth ar droed. 'Mae rhywbeth dwi angen ei drafod gyda ti,' meddai Laticia, gan wthio'r top yn dynn ar ei beiro a'i rhoi heibio mewn cas pensiliau.

'Ok...'

'Dwi 'di cael cynnig, gan y Brifysgol.'

'Caerdydd?'

'Valencia. Maen nhw eisiau i fi wneud PhD yma. Dros y tair blynedd nesaf.'

Rhedodd meddwl Carwyn ar wib o un peth i'r llall wrth geisio deall goblygiadau hyn. Alaw, y llythyr, priodas. Teimlai fel petaen nhw mewn gêm o Jenga, a bod Laticia newydd dynnu bloc allweddol. Roedd y twr yn sigledig o'i flaen, a'i lygaid yn neidio o'r naill floc i'r llall wrth iddo geisio mesur yr onglau a dehongli risg pob bloc posib. Un cyffyrddiad anghywir a byddai'r cyfan yn deilchion.

'Byddai'n rhaid i fi drio amdano, ond byddwn i'n debygol iawn o'i gael, meddai'r tiwtor. Pe bawn i eisiau.'

Gwelai Laticia fod llygaid Carwyn yn symud ar ras, fel petai mil o forgrug gwenwynig yn rhuthro ar draws y sgrin.

'Byddwn i'n ennill cyflog, ac yn dysgu modiwlau. Byddwn i mwy neu lai fel aelod o'r staff yma. Byddai hefyd yn rhaid i fi orffen y cwrs Meistr fan hyn yn ogystal â dysgu dros y misoedd nesaf, cyn dechrau ar y PhD go iawn fis Medi.'

Gwyddai Laticia fod hwn yn gyfle gwych i'w gyrfa, ac roedd ei meddwl wedi bod yn neidio o'r naill benderfyniad i'r llall ers i'r cynnig godi ddeuddydd ynghynt. Ond yn isymwybodol roedd wedi tybio, os nad gobeithio, y byddai Carwyn yn ei hannog i beidio â chymryd y cyfle, a dweud gymaint roedd yn edrych ymlaen at iddi ddod adre i Gaerdydd, er mwyn iddyn nhw gael bod gyda'i gilydd. Ond roedd Carwyn yn fud, a'i wyneb yn anodd ei ddarllen yn nhywyllwch yr ystafell. Aeth Laticia yn ei blaen.

'Ond wrth gwrs, alla i ddim,' meddai. 'Y tŷ. Alaw. Ti a fi.'

'Ie, ond...' meddai Carwyn o'r diwedd. 'Mae'n gyfle da.'

'Beth yw cyfle? Cyfle i beth?' athronyddodd Laticia. 'Falle daw cyfle tebyg ym Mhrifysgol Caerdydd. Neu Abertawe neu Fryste. Fe wnaf i ddechrau holi, pan fydda i adre.'

'Na, ddaw dim cyfle i ti fan hyn,' meddai Carwyn wrth i'w ddicter ddod o hyd i'w dafod. 'Sdim pwynt. Chei di ddim cyfle gwell na hwn. Ti'n cael cynnig PhD ar blât, gyda chyflog a chael dysgu. A ti'n mwynhau'r gwaith. Wedyn ar ôl hynny, mae'n siŵr y cei di gynnig swydd barhaol yn yr adran. Ti'n glyfar, ti'n siarad Saesneg yn rhugl. Maen nhw dy eisiau di yno. A ti eisiau bod yno, on'd wyt?'

'Ydw i?' gofynnodd Laticia. Ble roedd ei brotest, meddyliodd, i'w chael i ddod adref? Teimlodd ddeigryn yn crynhoi. 'A be amdanon *ni*?'

Ysai Carwyn i ddweud wrthi gymaint roedd yn edrych ymlaen at eu gweld nhw'u dwy, a'i fod eisiau iddyn nhw ddod gartre ato cyn gynted â phosib, ac y byddai'r tri'n cael byw'n hapus, byth bythoedd, yn eu cartref bach clyd yn Grangetown. Ond allai e ddim, oherwydd y llythyr. Ac ni allai sôn am y llythyr chwaith. Ddim eto. Roedd eisiau gallu cynnig cynllun a fyddai'n ateb i'r broblem. Efallai mai dyma'r ateb, y ffordd ymlaen. I Laticia, o leiaf. Ond roedd angen iddo feddwl mwy cyn sôn am y llythyr. Mireinio'r cynllun.

'Byddwn *ni*'n iawn. Jyst angen ffeindio ffordd i wneud iddo weithio.'

'Ond sut, dros Skype?' Oedd hynny wir yn bosib am dair blynedd, holodd Laticia ei hun.

'Cyfnod fydd hwn eto. Mae'n gyfle rhy dda i ti.'

Pam oedd e'n ymddwyn fel hyn? Mor benderfynol y dylai hi aros yn Valencia? Oedd e'n ei gwthio hi i ffwrdd?

'Iawn, wel, fe af i am y cyfweliad felly,' meddai'n groes i'r graen. 'Bydd e mewn tair wythnos. Felly fe fydd yn rhaid i fi ac Alaw aros wythnos ychwanegol, a gweld beth ddigwyddith.'

Daeth yr alwad i ben, ac eisteddodd y ddau yno am funudau yn rhythu'n ddryslyd ar eu ffonau, eu meddyliau ar chwâl a'u sgriniau llachar yn llosgi'u llygaid.

Pennod 10

ERBYN IDDO ORFFEN ei baned byddai'n chwarter wedi un ar ddeg – amser ei gyfarfod bob pythefnos gydag Eirwen. Edrychai ymlaen at y cyfarfod gan fod rhes sylweddol o focsys ticiedig ganddo i'w dangos iddi y tro hwn eto. Ni fyddai'n rhaid iddo wasgu'r enaid o'r botel sos coch fel yr arferai ei wneud yn y cyfarfodydd hyn. A châi weld beth fyddai'r syniadau a'r targedau ar gyfer y pythefnos a'r misoedd nesaf – dechrau ymestyn allan o'r sector addysg i gynnig cymorth i faes llywodraeth leol, efallai? A fyddai ganddi fwy o wybodaeth heddiw am gael codi band cyflog?

Rywfodd, llwyddai Carwyn i gadw realiti ei sefyllfa gartre a'i fywyd gwaith ar wahân. Roedd ei waith yn ddihangfa iddo y dyddiau hyn, rhag gorfod meddwl am y ffaith bod gan Laticia gyfweliad PhD yr wythnos wedyn, a bod canlyniad y cyfweliad hwnnw am fod yn gwbl dyngedfennol i hynt y teulu dros y blynyddoedd nesaf. Wrth gwrs, byddai'n treulio llawer o amser yn meddwl am y sefyllfa honno, yn enwedig wrth droi a throsi yn ystod yr oriau mân, ond o leiaf câi ddigon o gymhelliad yn y gwaith i hoelio'i sylw fel na threuliai ei holl amser a'i egni yn poeni.

Ymddangosodd pen Eirwen heibio i ddrws ei swyddfa. 'Barod, Carwyn?'

Neidiodd ar ei draed, codi'r ffeil las, a brasgamu i'r cyfarfod yn hyderus.

Pan ddaeth o'r swyddfa ugain munud yn ddiweddarach, roedd ei gamau'r un mor freision, ond trawai ei draed yn galetach ar y carped melyn sefydliadol. Taflodd y ffeil las blith draphlith ar ei gadair. Agorodd Lisa ei cheg i ofyn beth oedd yn bod, ond penderfynodd beidio wrth weld yr wg ar ei wyneb. Cydiodd Carwyn yn ei got heb arafu a gadawodd yr ystafell, gan anelu'n syth am y Craddock.

Roedd yn amlwg mai bod yn ofalus oedd Eirwen wrth esbonio y câi strategaeth cyfweliadau'r swyddi Cymraeg-yn-hanfodol ei rhoi ar y silff am y tro. Ond gwyddai'n iawn ei bod yn dominô ar y cyfan. Hwyl fawr i'r cyfweliadau. Hwyl fawr i'r band cyflog uwch. A hwyl fawr i'w obeithion o ennill dyrchafiad a dringo'r ysgol.

Dwedodd Eirwen ddigon iddo allu darllen rhwng y llinellau, a deall mai gwrthdaro a chenfigen rhwng tri o'r cyfarwyddwyr oedd wrth wraidd y penderfyniad. Dau ohonynt yn achub ar gyfle i dalu'r pwyth am i'r llall roi'r farwol i'w syniad hwythau rai misoedd ynghynt. Dau oedd wedi dringo i'w rheng bresennol drwy grafu a thanseilio, a dau a siaradai Saesneg yn amlach na Chymraeg – a hynny yn y gwaith, heb sôn am y tu allan. Achub yr iaith, myn yffarn i. Achub eu crwyn nadreddog eu hunain. I ddiawl â nhw.

Pam y trafferthodd weithio'n galed yn ystod y misoedd diwethaf? Pam y dechreuodd gredu bod pethau'n gwella yn y gwaith a bod ganddo ran go iawn i'w chwarae i helpu'r Gymraeg? Roedd busnes y cyfweliadau yma'n syniad gwych, ac yn gweithio. Gwyddai e hynny. Gwyddai Eirwen hynny. Gallai'r cyfarwyddwyr weld hynny'n iawn. Ond na. Gwleidyddiaeth swyddfa. I ddiawl â nhw i gyd.

Cyrhaeddodd far y Craddock, a llenwyd ei ffroenau â gwynt cartrefol polish a choffi.

'You're early today,' meddai Susan gan ddechrau tynnu peint iddo â'i llaw rychiog, a'i chlustdlysau mawr crwn yn ysgwyd.

'It's gonna be a two-pinter, Susan.'

Talodd am ei beint a mynd i'r bar cefn, gan ei gwneud yn glir i Susan nad oedd awydd sgwrs arno. Diffoddodd ei ffôn, rhoddodd bunt yn y jiwcbocs a dewisodd gymysgedd o ganeuon Oasis a Blur.

Roedd yn ddig ynglŷn â'r sefyllfa: gwleidyddiaeth, Brexit, y Bwrdd, y byd a'i bethau. Ac roedd y cyfan yn simsanu, y blociau'n crynu. Beth fyddai ei gam nesaf? Beth oedd ei ddewis? Ond wedyn, onid yw tynged pob twr Jenga wedi'i rhaglunio cyn i'r gêm gychwyn? Ffug-synnwyr o ddewis yw cael dethol pa flocyn i'w dynnu nesa. Dymchwel mae pob twr yn y diwedd, yn flociau o deulu a chariadon a chyfeillion a chyd-weithwyr a gwaith a gyrfa a gwleidyddiaeth a gwledydd. Felly pa bwynt poeni pa floc i'w dynnu nesa? Tynned y bloc, disgynned y cyfan!

Erbyn iddo orffen ei ail beint roedd wedi dod i benderfyniad. Ac ar ôl mynd am dro ar hyd afon Taf i bregethu dan ei wynt yn y glaw, a'r cennin Pedr yn porthi yn sedd fawr Parc Bute, ameniwyd y penderfyniad.

Dychwelodd i Lawr 2 Dwyrain gan osgoi unrhyw sgwrs y tu hwnt i helô. Sylwodd fod drws swyddfa Eirwen ar agor, a bod y golau wedi'i ddiffodd. Eisteddodd wrth ei ddesg heb dynnu'i got a chadwodd ei lygaid ar sgrin ei gyfrifiadur wrth deipio'r llythyr.

Annwyl Eirwen Stockwell,

Dyma lythyr i'ch hysbysu fy mod yn ymddiswyddo o'm swydd ym Mwrdd Comisiynu'r Gymraeg heddiw, ddydd Gwener, 5ed Ebrill. Byddaf yn gadael ar unwaith, heb weithio'r cyfnod rhybudd o fis. Derbyniaf unrhyw oblygiadau ariannol a chontractiol sydd i hyn.

Ymddiheuriadau am adael ar fyr rybudd. Hyderaf y gall staff gweithgar yr uned ymdopi hyd nes ichi benodi olynydd imi.

Diolch am bob cefnogaeth dros y pum mlynedd diwethaf, a phob dymuniad da i'r uned a'r Bwrdd i'r dyfodol.

Yn gywir,

Carwyn Siôn Thomas

Anfonodd y llythyr i'r peiriant argraffu yn y gornel y tu ôl iddo. Cododd i'w gasglu, ei blygu a'i roi mewn amlen wen. Ysgrifennodd enw ei reolwr llinell ar yr amlen a'i chau. Aeth i swyddfa Eirwen a gosod yr amlen ar fysellfwrdd ei chyfrifiadur. Wrth droi'n ôl, daliodd Lisa ei lygaid, a throdd ei phen ar ongl a chodi ei hael i ofyn 'be sy'?'

Cerddodd Carwyn ati, gan geisio peidio â thynnu sylw'r gweddill. Rhoddodd ei law ar ei hysgwydd yn dyner.

'Sori, ond dwi'n gorfod mynd,' meddai. Synhwyrodd fod ambell ben wedi codi y tu ôl iddo wrth iddo agor y drws a gadael y Bwrdd.

* * * *

Ar y ffordd adre ganol y prynhawn hwnnw llwyddodd i gerdded heibio i ddrws y Victoria Vaults, er mor gryf oedd yr ysfa i alw am yr un peint olaf. Roedd gwaith pacio ganddo, a llawer i'w drefnu mewn byr amser. Gyda'i ffôn yn un llaw a'i gerdyn banc yn y llall, cyn cyrraedd pont afon Taf roedd wedi prynu tocyn trên ben bore trannoeth o Lanelli i Fryste, tocyn awyren o Fryste i Valencia, a fisa twrist i'r Undeb Ewropeaidd.

Ond ni allai adael heb fynd i'r siop i weld Arham Pashal. Roedd yn dal i fynd yno o bryd i'w gilydd, ond yn llai aml dros y misoedd diwethaf ac yntau heb gymaint o awydd hwylio swperau cartref. Agorodd y drws a chanodd y gloch groesawgar uwch ei ben.

'Carwyn! Shw'mae!' meddai Arham. Cododd ei fochau'n uchel ar ddeupen ei wên, a chododd ei freichiau i'w canlyn.

'I'm well. How are you, and the family?'

'Grand, we're all grand. We're expecting Zehna home later on tonight. Home for the weekend.'

'That's lovely. Cofiwch fi ati,' mentrodd Carwyn yn araf.

Rhewodd wyneb Arham, a'i lygaid yn rhythu ar y cownter a'i geg ar agor.

'Cofiwch... cofio... remember...' Cododd ei lygaid yn sydyn. 'Send my regards?' mentrodd Arham yn ôl.

'You'll be fluent in no time.'

Chwarddodd Arham yn swil, ond teimlai obaith yn cyniwair. Efallai wir.

'What's it going to be tonight? Not been to the market, I see,' meddai, wrth weld bod dwylo Carwyn ym mhoced ei got.

'Rwy yma i ddweud hwyl fawr, Arham.'

'Hwyl fawr?' Deallodd Arham y geiriau, do, ond synhwyrodd hefyd fod yr hwyl fawr yn fwy parhaol nag am y penwythnos.

Ymhen dwy frawddeg o esboniad, roedd Arham yn bleidiol i'w benderfyniad ac yn gyffro drwyddo. Llenwodd llygaid Carwyn â balchder a diolchgarwch hallt. Oedd, roedd wedi gwneud ei benderfyniad, a doedd dim yn y byd fyddai'n gwneud iddo droi'n ôl nawr. Hyd yn oed wedyn, roedd bachyn main ar waelod ei asgwrn cefn yn mynnu ei bigo dros yr awr ddiwetha. Ond nawr, o gael ei lenwi â llonder Arham, gwyddai ei fod yn gwneud y peth iawn. Beth bynnag oedd y peth hwn. Yr ennyd honno, teimlai fod Arham, rywfodd, yn ei adnabod yn well na'r rhan fwyaf o'i ffrindiau, a'i rieni hyd yn oed. Roedd rhyw edefyn yn gyffredin rhyngddynt. Rhywbeth cynnes, anghyffyrddadawy, ac o'r ennyd honno diflannodd y bachyn pigog ar waelod ei gefn. Daeth fflach o lun cyffrous i'w feddwl o wynebau Laticia ac Alaw wrth iddo ymddangos wrth ddrws y fflat ymhen rhyw bedair awr ar hugain.

Wedi ffarwelio ag Arham, tasgodd o'r siop ac yn ôl i Stryd Cynon. Paciodd werth tridiau o ddillad a'i liniadur yn ei gês bach. A llenwodd lond y cês mawr o'i sosbenni a'i ffrimpanau gorau, lletwad ei fam-gu, ei hoff gyllyll a ffyrc, a'i gwpan coffi gwyn, tenau, tenau. Lapiodd y cyfan yn ofalgar yn nhudalennau hen rifynnau *Golwg* a *Phapur y Cwm* a fu'n ymgasglu dan y bwrdd coffi. Wedyn casglodd y papurau pwysig ynghyd. Eu tystysgrifau geni nhw'u tri, ei basbort a'i gerdyn yswiriant gwladol, papurau morgais ac yswiriant ac ambell gyfriflen banc. Rhoddodd y cyfan mewn amlen fawr frown, a rhoi'r rhain hefyd yn y cês bach.

Cyn cario ei gesys i'r car, edrychodd ar ei ffôn a gwelodd resi o alwadau coll a negeseuon oddi wrth Eirwen, Lisa a Dafydd. Roedd ar fin rhoi ei ffôn yn ôl yn ei boced gan anwybyddu'r cyfan cyn meddwl am Dafydd a'i nerfau. Ffoniodd Dafydd, a oedd ar bigau'r drain, druan, ac esboniodd y cyfan.

Roedd yn wyth o'r gloch erbyn iddo gyrraedd yr M4, ddwy awr yn hwyrach na'r hyn a ddychmygai wrth gerdded o'r gwaith. Ond dim ots. Byddai yn y Tymbl erbyn naw, mewn da bryd i gael sgwrs gyda'i rieni cyn amser gwely. Ac roedd wedi cyflawni cymaint mewn ychydig oriau, o feddwl yn ôl. Roedd ganddo ryw siâp ar gynllun ar y draffordd dywyll o'i flaen, ac roedd ganddo ei fyd i gyd mewn dau gês yng nghist y car.

* * * *

''Na ni 'te,' meddai Margaret, gan ailgydio yn ei gwau. Trodd John yn ôl i edrych ar *Newyddion 9*, er bod y sain yn dal i fod wedi'i diffodd. Doedd dim i'w glywed heblaw tipiadau'r hen gloc a thapiadau'r gweill.

Roedd Carwyn wedi disgwyl i'w rieni fod yn grac. Roedd wedi paratoi ei hun at hynny. Ac roedd ganddo res o ddadleuon a rhesymau yn barod yn ei arfaeth. Ffaeleddau polisïau iaith a gwleidyddiaeth swyddfa, ei berthynas â Laticia a'i ddyletswydd fel tad. Ac roedd grenâd pleidlais Brexit ei dad ganddo'n barod yn ei law. Ond ni ddaeth y gwrthdaro disgwyliedig. A doedd yr arfau hyn yn werth dim yn wyneb siom dawel, ddywedwst ei rieni.

Roedden nhw wedi holi cwestiynau ymarferol a chall am y tŷ yn Grangetown, a Carwyn yn esbonio bod Dafydd am barhau i fyw yno a thalu rhent iddo. A daeth cwestiynau teg wedyn am waith, ei sefyllfa ariannol, a'r car (ie, dyna un peth nad oedd Carwyn wedi rhoi unrhyw ystyriaeth iddo). A beth am ei hawl i fyw yn Sbaen? Oni allai yntau dderbyn llythyr tebyg oddi wrth yr awdurdodau ym Madrid? Gallai, mae'n siŵr. Ond roedd hynny allan o'i ddwylo.

Ac wrth gwrs, roedden nhw'n holi beth fyddai eu cyswllt nhw â'u mab a'u hwyres fach, ac yn derbyn yr atebion yn dawel heb ddicter.

Efallai nad twr Jenga yw'r ddelwedd orau, meddyliodd Carwyn, wrth deimlo ei fod yn gorfod ymwrthod â'i rieni ar ryw lefel, a'i yrfa a'i gynlluniau yng Nghaerdydd, er mwyn cael bod gyda'i ddyweddi a'i ferch a'i ddyfodol. Efallai fod ciwb Rubik yn well. Er mwyn cael rhagor o'r sgwariau i'r mannau cywir, weithiau mae'n rhaid cymryd y cam anodd o droi ambell sgwâr i ffwrdd. Ac ar adegau, gydag un neu ddau wyneb cyfan, taclus, yn eu lle, er mai haws fyddai setlo ar hynny, mae'n rhaid eu chwalu er mwyn symud ymlaen a cheisio cael rhagor o wynebau cyfan i'w lle. Chwalu er mwyn cyflawni.

'Faint o'r gloch ma'r trên o Lanelli bore fory?' gofynnodd John, gan dorri'r distawrwydd.

'Chwarter wedi chwech.'

'Af i lawr â ti i'r orsaf,' meddai, heb godi'i olwg o sgrin y teledu.

★ ★ ★ ★

Roedd Alaw wedi setlo o'r diwedd. Bu'r mwnci bach yn galw ar Mamá bob deng munud ers oriau, a Laticia'n gwneud ei gorau i beidio â cholli ei thymer. Roedd wedi bwriadu dechrau paratoi at gyfweliad y PhD heno, fel y bwriadai ers wythnos, ond câi ei hun yn ei osgoi o hyd. Yn lle hynny, ar ôl rhoi Alaw yn ei gwely'r tro cyntaf, rhoddodd gynnig ar wylio ffilm rom-com o'r nawdegau gyda gwydryn o win gwyn oer, ond collodd lif a diddordeb yn sgil yr holl 'nôl a 'mlaen i gysuro Alaw. A chynhesodd y gwin. Felly rhoddodd y gorau i'r ffilm a chydio yn ei ffôn i wastraffu amser ar Facebook yn lle hynny, yn sgrolio a gwenu a hoffi a gwingo.

Edrychodd ar y cloc. Chwarter i un y bore. Sylweddolodd

ei bod wedi llenwi dros awr o'i hamser â manion bywydau pobl eraill. A theimlai'n gwbl wag. Ond byddai Clara adre cyn hir ar ôl ei shifft yn y bar. Roedd hi'n mwynhau byw gyda'i chwaer unwaith eto, er eu bod yn dueddol o fynd ar nerfau ei gilydd weithiau, fel fyddai i'w ddisgwyl. Roedden nhw'n agos, wrth reswm, ar ôl popeth. Ac wedi llwyddo i gadw'n syndod o agos drwy'r blynyddoedd y bu Laticia'n byw yng Nghaerdydd. Prin y byddai diwrnod yn mynd heibio heb sgwrs wirion llawn emojis a giffs, a bydden nhw'n cael sgwrs hir ar Skype o leiaf unwaith yr wythnos.

Cododd ac aeth at y silffoedd llyfrau. Plygodd a thynnu'r bocs mawr o'r silff waelod. Agorodd y caead a chlywodd wynt cynnes lledr a sbeis. Hen lyfr ryseitiau ei mam oedd ar y brig. Agorodd hwn, a'i gau'n sydyn wedyn wrth i'r llawysgrifen wenu arni. Haws fyddai edrych ar luniau, meddyliodd. Cododd y pentwr o albymau, ac agor yr un hynaf ei olwg. A dyna nhw'u pedwar mewn parti stryd lliwgar, banerog. Hithau tua'r un oed ag Alaw nawr yng nghôl eu tad a Clara yn ddim o beth ym mreichiau eu mam. Dyna fedydd Clara wedyn. A dathliadau'r Nadolig, mae'n siŵr.

Cydiodd mewn albwm arall, plastig glas a thrimin aur. Nhw'u dwy a'u mam ar eu gwyliau yn y mynyddoedd, a'r tair yn union yr un taldra. Roedd ei gwallt ei hun wedi'i oleuo â strimynnau pinc, a'i mam yn edrych yn hŷn na'i phedwardegau. Edrychodd eto ar lygaid ei mam. Roedd wedi byseddu'r lluniau hyn ganwaith, ond gwelodd rywbeth o'r newydd yn y llygaid y tro hwn. Ai ofn? Na, mwy meddal na hynny. Unigedd falle, er ei bod yn cael ei hamgylchynu â chariad ei merched. Ond pwy a ŵyr? Dychmygu'r oedd hi, mae'n siŵr. Ni all ffotograff dau ddimensiwn, deg oed, gyfleu emosiwn dyfnaf rhywun, does bosib. Mwy tebygol yw mai hithau'r dehonglydd sy'n taflunio ei theimladau ei hun, meddyliodd. Teimlai ysfa i roi magad i'w mam, a dweud y bydd popeth yn iawn. Ond roedd flynyddoedd yn rhy hwyr.

Daeth neges i'w ffôn. Carwyn? Na, Clara. Adre mewn chwarter awr.

Rhyfedd nad oedd Carwyn wedi cysylltu ers bore 'ma, meddyliodd. Hyd yn oed yn y sefyllfa ryfedd hon o aros a gweld, gyda'u dyfodol yn y fantol a phethau'n lletchwith, roedden nhw'n dal i decstio'n rheolaidd. Ac roedd yn nos Wener, felly byddai'n siŵr o fod yn y Tymbl. A ddylai decstio Margaret i holi a yw popeth yn iawn? Na, nid yr amser yma o'r nos – byddai'n siŵr o wneud iddi boeni. Efallai mai wedi mynd a chael un yn ormod yn y Vic oedd e, ac wedi aros allan yng Nghaerdydd. Yng nghwmni pwy, 'sgwn i? Huw, mae'n siŵr.

Edrychodd ar ei ffôn eto. 01:05 sábado 6 de abril. Roedd eu cyfnod yn Valencia i fod i ddod i ben heddiw, ac fe fydden nhw'u dwy wedi bod yn hedfan adre at Carwyn ymhen deuddeng awr, pe na bai'r PhD yma wedi codi. Byddai mor braf cael ei weld e nawr. Teimlo gwres ei ystlys a'i fraich amdani, a chael plethu ei bysedd rhwng ei fysedd golau, cryf.

Edrychodd ar ei modrwy a'i throelli am ei bys. Ni allai gael llygaid ei mam o'i meddwl. Cariad, unigedd ac ansicrwydd. A gwacter. Roedd yr ateb yn amlwg, wrth gwrs. Na, ni allai helpu ei mam mwyach, ond gallai ei helpu ei hun. Gwyddai fod yn rhaid iddi ei helpu ei hun.

Cododd ei ffôn eto a mynd i'w mewnflwch i chwilio. Daeth o hyd i e-bost y cwmni awyrennau. A dyna nhw, y tocynnau gwreiddiol. Roedd y manylion yn gywir. Cymerodd anadl ddofn, a chliciodd ar ddolen *online check-in*. Damia, roedd yn rhy hwyr i gofrestru dros y we – byddai'n rhaid iddi wneud yn y maes awyr. Bydd ganddi waith esbonio wrth Clara heno, meddyliodd. A chrio. A bydd amser i bacio ben bore.

Byseddodd drwy'r albymau eto, a thynnu llun detholiad o'r ffotograffau â'i ffôn. Byddai'n braf eu cael nhw gyda hi yn ei phoced bob amser.

* * * *

Tynnodd Carwyn ei gesys drwy ddrysau maes awyr Bryste ac anelu am y ddesg gofrestru. Dim ciw, diolch byth. Nid oedd llawer o amser i'w sbario. Er bod ei gyffro, a'r cloc mawr uwch y desgiau, yn ei annog i fynd yn gynt, roedd tincian y sosbenni o'r cês mwyaf yn ymbil arno i arafu.

Ar y trên y bore hwnnw anfonodd lith o decst at Huw yn esbonio'r sefyllfa. *'Be ddiawl?! O ddifri?'* oedd yr ymateb cryno. *'Dy fai di yw hyn, Huw!'* atebodd Carwyn wedyn. *'Ti wnaeth fy ysbrydoli.'* Meddyliai am eiliad y byddai Huw'n ei annog i newid ei feddwl. Oedd hyn yn gall, dwedwch? Daeth y neges nesaf ar wib – *'Blydi gwych, boi! ¡Estupendo!'* a bawd lan. Ac fe'i llenwyd â hyder wrth i'r gloÿnnod byw ddawnsio.

Ar ôl gollwng ei gês mawr a mynd drwy'r broses ddiogelwch, aeth i edrych ar y sgrin. Ffleit Valencia 11:10. Gât yn agor 10:40. Jiw, digon o amser am un bach, meddyliodd. Aeth i'r bar ac archebu peint. Estynnodd am ei ffôn, ac anfon neges at Laticia. *'Te amo, Laticia. Colli ti. Fe ddof i dy weld di cyn hir, dwi'n addo. x'*

Daeth ateb ymhen munud. *'Caru ti hefyd. Ffaelu aros. x'*

Yn gynt nag wyt ti'n ddisgwyl, meddyliodd Carwyn gan wenu.

* * * *

Gwenai Laticia hefyd wrth roi'r ffôn yn ôl yn ei phoced. Edrychodd allan drwy ffenest y tacsi a gweld arwyddion yn cyfeirio'r teithwyr i wahanol rannau'r maes awyr.

'Dim hir cyn i ni weld Dadi,' meddai wrth Alaw, heb sylwi iddi siarad yn Gymraeg.

Casglwyd popeth ynghyd pan ddaeth y tacsi i stop, a thalodd Laticia gan wrthod cymryd newid. Pa ddiben cymryd darnau mân o Ewros nawr, meddyliodd. Cydiodd mewn troli a rhoi'r cesys a'r gadair wthio arno, a chan osod Alaw ym masged fach y troli dyma'r ddwy'n anelu at ddrysau'r terminal. Cyn mynd i mewn teimlodd Laticia gynhesrwydd gwanwynol Valencia ar ei gwar. Arafodd a chau ei llygaid am eiliad fach, cyn agor ei llygaid a bwrw ymlaen.

Roedd ciw hir wrth y ddesg gofrestru. Rhoddodd ei ffôn i Alaw i'w diddori ac edrychodd o'i chwmpas. Roedd nifer o bobl fusnes ryngwladol yn cario'u gliniaduron a'u coffi i-fynd. Twristiaid o ogledd Ewrop wedyn, mewn dillad ysgafn a sbectolau soffistigedig, yn ganol oed a hŷn ar y cyfan. Wedi gwneud eu celc ac yn mwynhau ail wyliau'r flwyddyn yn haul de'r cyfandir. Roedd rhai o Brydain hefyd, wrth gwrs, ond llawer llai nag a arferai fod.

Erbyn iddi gyrraedd blaen y ciw a chael ei galw ymlaen, roedd Alaw wedi diflasu ar adloniant y ffôn, ac yn dechrau swnian. Gwthiodd Laticia'r troli ymlaen at y ddesg, gan geisio tawelu Alaw, sweipio drwy ei ffôn am y tocynnau ac ymbalfalu yn ei bag am y pasborts yr un pryd. Oedd, roedd y tocynnau a'r fisas yn iawn. Ond roedd problem, meddai'r fenyw ifanc wrth fyseddu'r pasborts, a'i hewinedd hirion coch yn dawnsio drostynt. Beth oedd y broblem? Roedd ganddi hithau basbort Sbaen, ond un Prydain oedd gan Alaw. Iawn, beth yw'r ots am hynny? Maen nhw'n basborts dilys. Ac roedd gan Laticia fisa myfyrwraig – edrychwch! Ie, ond nid yr un cyfenw sydd gennych chi a'r plentyn, esboniodd y fenyw. Laticia Martínez oedd hi, edrychwch, ac Alaw Abril Thomas oedd y plentyn. Onid oedd yn gweld y broblem? Wel, na, welai Laticia ddim beth oedd y broblem o gwbl! Esboniodd y fenyw wedyn fod angen prawf ei bod hi'n rhiant neu'n warcheidwad go iawn i Alaw. Oedd ganddi dystysgrif geni? Na, roedd hwnnw gan ei thad. Fyddai modd cael copi wedi'i ffacsio?

Blydi hel, meddyliodd Laticia. Dyna sbwylio'r syrpréis. Ond iawn. Ffoniodd Carwyn, ond aeth yr alwad yn syth i'r peiriant ateb. Rhyfedd. Dim signal, mae'n siŵr.

Ni fyddai'n bosib iddyn nhw gael hedfan heb brawf pellach ei bod hi'n rhiant i'r plentyn, esboniodd y ferch eto. Ond hi oedd ei mam! Roedden nhw wedi cael hedfan â'r pasborts hyn o'r blaen. Petai eu cyfenw'r un peth, fyddai hynny'n gwneud y tro? Byddai, cadarnhaodd y fenyw. Wel, ma hynny'n blydi annheg – petai hi gyda'i thad, fe gelen nhw hedfan!

Roedd Laticia'n gwylltio erbyn hyn, a'r pâr tal o Ddenmarc y tu ôl iddi'n hwffian. Rhoddodd gynnig arall ar ffonio Carwyn. Na, peiriant ateb eto. A chan ymateb i'w mam, roedd tymer Alaw'n gwaethygu. Roedd hi eisiau loshin. Ac eisiau pi-pi. A ble oedd Tía Clara?

Ymddangosodd menyw fer ganol oed wrth ochr y fenyw ifanc, ei gwallt wedi'i liwio a'i steilio'n annaturiol, fel plu'r frân, a'i thrwyn yn big. Esboniwyd y sefyllfa, a galwyd am swyddog diogelwch boliog o ben y rhes o ddesgiau. Allwch chi ddod gyda ni nawr, plis, Ms Martínez? Dechreuodd Laticia wrthwynebu, ond roedd pig y fenyw'n fygythiol o fain a llaw fawr y swyddog diogelwch ar y pastwn yn ei wregys.

Hebryngwyd Laticia ac Alaw hyd y toiledau yn gyntaf, a'r frân yn mynnu sefyll wrth ddrws y ciwbicl, ac ymlaen wedyn i ystafell fach y tu hwnt i ardal y cyhoedd. Diflannodd y fenyw, ond arhosodd y swyddog boliog. Ceisiodd Laticia ei holi, ond ni wnâi ddim ond sefyll yno'n ddywedwst a cheisio cael darn o gig yn rhydd o'i ddannedd.

Dychwelodd y fenyw gyda choffi a dŵr. Ymbiliodd Laticia ar iddyn nhw frysio – roedd yr amser yn prinhau iddyn nhw gael dal yr awyren. Ond diflannu wnaeth hi wedyn, ar ôl egluro'n sefydliadol mai diogelwch y staff a'r teithwyr yw eu prif flaenoriaeth. Byddai'n rhaid iddi fod yn amyneddgar. Cafodd Alaw'r ffôn eto i wylio fideos, ac yfodd Laticia ei choffi wrth lygadu'r swyddog yn bryderus.

O'r diwedd daeth dau heddwas ffiniau, dyn a menyw, â wynebau cyfeillgar. Grêt, meddyliodd Laticia, ac estynnodd am eu dogfennau unwaith eto – pasbort y ddwy a'r fisa myfyrwraig. Edrychodd yr heddweision dros y dogfennau'n ofalus. Ond wrth iddynt ddechrau ei holi, a'i holi'n dwll, sylweddolodd Laticia nad oedd gan y rhain unrhyw awydd i'w helpu. Roedden nhw eisiau pob manylyn am ei dyddiau ysgol a choleg a phrifysgol, ei chwaer a'i rhieni, Carwyn a'i rieni yntau. Manylion y cartref yn Grangetown a'i chwrs yng Nghaerdydd. Clywodd yr eiliadau a'r munudau'n rhaeadru dros ymyl y bwrdd. Ymbiliodd iddyn nhw ei chredu, a thrio brysio. Ond tyngai eu bod nhw'n arafu'r broses yn fwriadol i'w chosbi am brotestio.

Lluniau ar y ffôn! Gallai ddangos lluniau, meddyliodd, i brofi! Lluniau o Alaw yn fabi dyddiau oed, nhw'u tri gyda'i gilydd, a lluniau'r dathliadau dyweddïo ar ddydd Nadolig. Cymerodd y ffôn o law Alaw, gan geisio tawelu ei chri o brotest am golli'r sgrin ar ganol fideo. Drychwch, meddai wrth bwyso i gau'r fideo ac agor y ffotograffau. Ac aeth y sgrin yn ddu.

* * * *

'¡Buenas dias!' a '¡Gracias!' meddai Carwyn yn falch wrth was y pasborts, cyn mynd yn ei flaen i gasglu'i gês mawr. Trodd ei ffôn ymlaen. Croeso i Sbaen! meddai'r rhwydwaith. A dyma ddwy alwad goll gan Laticia. Gwenodd, a rhoi'i ffôn yn ôl yn ei boced. Bydd yn rhaid iddi aros 'chydig bach eto, meddyliodd. Gwnaeth ei gynllun wrth wylio'r cesys amrywiol yn llithro heibio'n araf – pawb â'i daith, pawb â'i gynllun. Byddai'n dal y trên i'r canol, ac yn prynu blodau o'r stondin yn y parc. Câi dacsi wedyn, a fyddai'n haws na'r bws gyda'i ddau gês a'r blodau, a gofyn am gael ei ollwng wrth y siop win ar waelod stryd fflat Clara. Câi botel o'r Cava gorau yn y siop – waeth iddo wneud sioe ohoni ddim – a cherdded wedyn i'r fflat. Ond roedd yn dal heb feddwl beth fyddai'n ei ddweud. Wna i ddim cynllunio 'ngeiriau, meddyliodd. Byddai byrfyfyrio'n well. Daw'r geiriau o'r galon wedyn. Ond efallai na fyddan nhw adre! Doedd e ddim wedi meddwl am hynny chwaith. Byddai'n rhaid croesi'r bont honno pe deuai ati.

Dacw ei gês. Cododd a'i osod ar ei gefn ar lawr i'w agor. Oedd, roedd popeth i'w weld yn iawn. Rhoddodd y ddau gês ar droli a'i wthio ymlaen drwy'r drysau diogelwch, heb ddim i'w ddatgan.

Bu ar ei draed ers wyth awr, ac roedd heb gysgu llawer cyn hynny, felly anelodd am y stondin goffi i gael rhyw *café con leche* cyn dal y trên – ei drydydd coffi heddiw. A dyna pryd y'u gwelodd nhw. Wrth fwrdd yn y stondin goffi. Alaw'n gonenllyd yn ei chadair wthio a Laticia ar ei phengliniau o dan y bwrdd yn trio stwffio plwg i soced.

'Dadi!' meddai Alaw'n hapus, ond heb fawr o syndod. Arhosodd Carwyn yn ei unfan wrth y bwrdd llaeth a siwgr, tra bo Laticia'n parhau i straffaglu â'r gwefrydd.

'Alaw?!' gofynnodd Carwyn yn ddryslyd-hapus.

'Dadi!' chwarddodd Alaw'n uwch.

Trodd Laticia'r tro hwn. Cododd yn rhy sydyn, gan daro ei phen ar y bwrdd, ond braidd y gwnaeth hi sylwi. Roedd y gwefrydd a'r ffôn yn ei llaw, ei llygaid yn llydan-goch a masgara'n staenio'i gruddiau.

'Laticia?! Beth 'ych chi'n neud fan hyn?!'

'Achos... Pam wyt *ti* fan hyn?'

'A Mam-gu a Dad-cu?' holodd y llais bach o'r gadair wthio.

'Ro'n i isie... dod mas fan hyn. A'r sosbenni.' Grêt, geiriau o'r galon, meddyliodd Carwyn. 'Na...'

'Ro'n ni ar ein ffordd gartre,' meddai Laticia, gan dorri ar ei draws.

'I Grangetown?'

'Wel, ie. Gartre.'

'Ond ry'n ni'n tri fan hyn nawr,' meddai gan fethu â mynegi'i hun eto.

'Peppa Pinc!' cwynodd Alaw, gan lwyddo i gipio'r ffôn o law ei mam.

'Rwy 'di... paco lan, Laticia. Y Bwrdd. Y tŷ – wel, ma

Dafydd 'na. Ac mae'r car yn Tymbl am y tro. Gallwn ni ei werthu.' Ceisiai Carwyn ei orau, ond disgynnai'r cyfan yn dameidiog.

'Dwi ddim yn... wedi paco lan? Y Bwrdd?!'

'Do.'

Safodd y ddau yn stond. Carwyn oedd y cyntaf i gymryd hanner cam ymlaen. Wedyn rhuthrodd Laticia ato a chydio amdano, ar flaenau ei thraed. Pwysodd ei phen yn dynn, dynn ar ei frest. A gwasgodd yntau hi'n hir, fel pe na bai'r byd yn bod y tu hwnt iddyn nhw'u tri yn y stondin goffi fach yn Nherminal 2 maes awyr Valencia.

Cymerodd Laticia gam yn ôl. 'Be wnawn ni nawr?'

'Awn ni i'r canol. Cael bwrdd mewn caffi bach.'

Cododd Carwyn gesys y merched a'u rhoi ar y troli. Cododd Alaw o'r gadair a rhoi magad iddi a chusan ar ei thalcen, heb fentro dweud dim heibio i'r lwmp yn ei wddf. Rhoddodd hi ym masged fach y troli. Plygodd y gadair wthio a'i stwffio rhwng y ddau gês mawr. Cydiodd yn nolen y troli ag un llaw, ac yn llaw Laticia â'r llall, a hebrwng ei deulu bach drwy ddrysau mawr y maes awyr ac i heulwen gwanwyn Sbaen. Roedd gwynt melys blodau oren lond yr awel.

£9.99

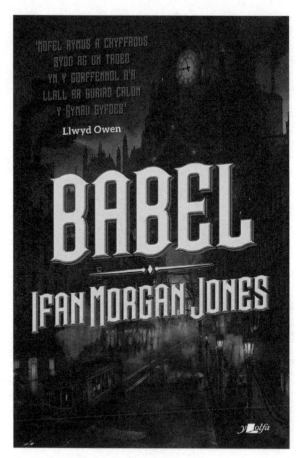

'NOFEL RYMUS A CHYFFROUS
SYDD AG UN TROED
YN Y GORFFENNOL A'R
LLALL AR GURIAD CALON
Y GYMRU GYFOES'

Llwyd Owen

BABEL

IFAN MORGAN JONES

y olfa

£9.99

'Dyma nofel wirioneddol wych.' **Llwyd Owen**

ENILLYDD GWOBR GOFFA DANIEL OWEN 2019

C A R A F A N I O

GUTO DAFYDD

£8.99